1001
conseils de relaxation

1001 *conseils de relaxation*

Comment vraincre les tensions
et trouver la paix intérieure

Mike George

Guy Trédaniel Éditeur
19, rue Saint-Séverin
75005 Paris

SOMMAIRE

Cet ouvrage est paru sous le titre original
1001 Ways to Relax

Conception, création et maquette :
Duncan Baird Publishers

Responsable d'édition :
Lucy Latchmore, Hanne Bewernick
Secrétaire d'édition : Emily Mason
Directeur artistique : Manisha Patel
Maquette : Rebecca Johns
Illustrations : Trina Dalziel, Emma Harding,
Debbie Lush

Pour l'édition française :
Traduction : Anne Collas
Secrétaire d'édition : Catherine Pelché
Composition : Nord Compo

ISBN : 978-2-84445-830-8

Imprimé en Thaïlande par Imago

www.tredaniel-courrier.com
info@guytredaniel.fr

INTRODUCTION

De même que pour faire un monde aussi varié et beau que le nôtre, il faut des êtres différents, il faut toutes sortes de méthodes de relaxation pour atteindre le repos et se ressourcer à des moments différents de notre vie et dans la multitude des aspects de notre existence.

Je dois avouer que lorsque j'ai entrepris d'écrire ce livre, je me suis dit : « C'est absurde, comment peut-on trouver mille et une façons de se détendre ? » Pourtant, il ne m'a pas fallu longtemps pour découvrir qu'en fait, il en existe des dizaines de milliers ! Et toutes ces méthodes se distinguent les unes des autres par leur durée, le lieu où l'on peut les pratiquer et l'état de détente – plus ou moins profond – qu'elles entraînent. Il existe en effet une différence énorme entre, d'une part, un exercice de quelques minutes, destiné à se libérer de la tension physique et nerveuse accumulée dans une journée normale et, d'autre part, la pratique, des années durant, des modes les plus aboutis de relaxation, à la façon des sages et des saints. L'écart est tout aussi important entre des techniques qui éliminent quelques symptômes liés au stress et une pratique qui nous aide à pénétrer jusqu'au fond de notre âme et à soigner les causes profondes de notre inconfort spirituel.

En collectant des informations et en rédigeant ce manuel, qui se veut un condensé d'outils, de techniques et de conseils, j'ai souvent constaté que les changements les plus simples sur notre façon de penser, de percevoir les choses et d'agir, calment notre anxiété. Selon moi, si ce petit traité est incontournable, c'est qu'il contient de véritables solutions, à mettre en œuvre en urgence ou dans la durée, mais aussi des exercices pouvant s'appliquer à n'importe quelle situation du quotidien. De la maison au travail, des premières aux dernières heures de la journée, dans vos relations avec autrui ou dans celle, fondamentale, avec vous-même, vous trouverez dans cet ouvrage des centaines d'idées à mettre en pratique.

Après avoir passé vingt ans à faire des recherches sur le stress et à aider les autres à comprendre, gérer et éviter cette « affection », qui se soigne d'ailleurs très bien, j'ai réalisé que chacun avait des besoins différents et que ces derniers pouvaient aussi varier dans le temps. C'est la raison pour laquelle vous trouverez dans ce mini-guide des exercices vous permettant d'apaiser les tensions dans votre corps, mais aussi des pratiques servant à gérer la tristesse, la culpabilité et d'autres émotions déstabilisantes ; j'y ai également inclus des images mentales à visualiser pour se défaire de ses anciens schémas de pensée négative et, enfin, des techniques de méditation permettant d'atteindre les profondeurs les plus secrètes de l'âme. Car c'est bien entendu au tréfonds de notre âme que nous puiserons le calme le plus naturel et le plus infini.

Ce petit livre s'utilise de bien des façons. Vous pouvez par exemple vous consacrer à un chapitre ou deux et mettre en pratique les techniques qui y sont présentées. Vous pouvez aussi rechercher les conseils correspondants à un point « névralgique » particulier dans l'index et dans les différents chapitres. Sinon, vous laissant guider par le hasard, vous trouverez, au détour d'une page, la réponse précieuse à une question ou encore des méthodes de relaxation pour tous les jours. Enfin, si vous souhaitez faire l'un des gestes les plus agréables de l'existence, qui est d'offrir un cadeau, alors, pourquoi ne pas proposer à la personne à qui vous aurez offert cet ouvrage de commencer par les trois exercices à votre avis les plus susceptibles de l'aider ?

Ne vous fiez pas à l'évidence apparente de certaines suggestions contenues dans ce livre. Vous serez étonné de constater combien les gestes les plus infimes apportent les plus grands bienfaits. Et surtout, ne passez pas à côté de l'une des idées en filigrane de ce petit livre, à savoir que l'« être » vient toujours avant le « faire », dans le vocabulaire de la relaxation. Certes, tout ce que vous ferez aura une incidence sur votre état d'esprit. Mais il y a quelque chose de plus important : lorsque vous imaginerez une nouvelle façon d'être, lorsque vous pourrez faire la paix dans votre cœur, entretenir des relations fondées sur l'amour et donner du bonheur à ceux qui vous entourent, alors vous saurez que votre esprit est plus détendu et heureux qu'il le sera jamais.

Il ne fait aucun doute que nous vivons une époque tendue, agitée et, pour nombre d'entre nous, peu propice à la détente. Toutefois, vous pouvez faire partie de ces gens dont le monde a cruellement besoin, de ces personnes qui savent garder leur calme en période de crise, qui restent détendues dans le chaos et positives lorsque tout, autour d'elles, devrait les inciter à voir les choses en noir. Si nous savons rester détendus et calmes, nous aidons les autres à en faire autant. Si nous sommes capables de répondre sur une note positive, nous aidons les autres à rester en harmonie avec la vie. Enfin, en conservant notre optimisme, nous pouvons égayer la journée de quelqu'un en quelques secondes ! Avec tout cela, nous ne nous contentons pas de rester calmes, à l'intérieur de nous mêmes : nous rayonnons d'une énergie extrêmement positive et, ce faisant, nous rendons service au monde entier.

Mike George

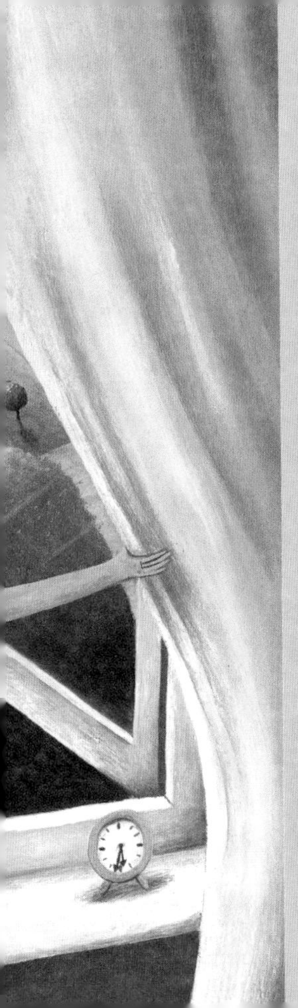

Le matin

UN RÉVEIL EN DOUCEUR

1 **Réveillez-vous naturellement**, sans l'aide du réveil, au moins une fois par semaine. Cela vous aide à renouer avec vos rythmes biologiques (ou circadiens). Cela ne sert à rien de se coucher une heure plus tôt. Vous risquez de chercher en vain le sommeil. Si vous êtes « du soir » et que vous devez vous levez tôt, faites une sieste le week-end. En revanche, si vous êtes « du matin », levez-vous quand vous en ressentez l'envie : vous pouvez toujours employer le temps avant l'heure du petit déjeuner à d'utiles méditations.

2 **Laissez-vous réveiller par la lumière du jour** en laissant les rideaux ou les persiennes ouverts. En été, lorsque le jour se lève plus tôt, **profitez du temps gagné (3)** pour organiser mentalement votre journée ou faire quelques exercices pour vous détendre.

4 **Réveillez-vous en musique.** Programmez votre lecteur de CD sur une musique douce, qui monte progressivement en puissance, comme *L'Or du Rhin*, de Richard Wagner, dont l'ouverture, avec ses mesures tourbillonnantes, laisse la place au chœur des vierges du Rhin chantant l'aube. Vous pouvez aussi écouter un raga indien

fait pour être joué le matin. Ces pièces musicales sont très faciles à trouver et elles commencent toujours par une mélodie lente jouée au sitar ou au sarod, sans percussion.

5 **Repensez à vos rêves**, le matin, tant qu'ils sont encore frais dans votre mémoire. Nous ne savons pas forcément en interpréter la symbolique, mais si nous cherchons à en dévoiler le sens, nous parvenons parfois à des conclusions intuitives, qui, en renforçant notre conscience de nous-mêmes, alimentent notre tranquillité d'esprit.

Pourquoi ne pas noter ses rêves (6) ? En les relatant par écrit, vous vous libérez de l'anxiété qu'ils ont pu provoquer et pourrez ainsi affronter la journée plus sereinement.

7 **Au moment où vous vous réveillez**, « pensez au plaisir que vous ferez à au moins une personne, aujourd'hui ». Ce sont les mots de Friedrich Nietzsche, surprenants pour ce philosophe allemand à la vision du monde plutôt sceptique et inquiète.

8 **Équipez votre chambre d'un éclairage à variateur**, afin de pouvoir augmenter progressivement l'intensité lumineuse, au réveil, et de démarrer la journée en douceur.

9 **Écoutez le concert de sons** qui pénètrent dans votre chambre : voitures, oiseaux, voire marteaux piqueurs ou radio de votre voisin. Ne vous irritez pas de ces bruits. Au lieu de chercher à les contrôler, laissez-vous porter par ce concert de sons disparates auquel vous participez gratuitement. Profitez de chaque moment de cette cacophonie.

10 **Faites participer vos cinq sens à votre réveil**. La vue du soleil, le chant d'un oiseau, la sensation d'une serviette de toilette sur le visage, le goût d'un jus d'orange et l'odeur de pain grillé sont autant d'agréables prises de contact avec le monde autour de vous.

SE LEVER DU BON PIED

11 **Ouvrez largement la fenêtre** de votre chambre pour laisser entrer une bouffée d'air frais. Celle-ci chassera les dernières pensées nocturnes qui encombrent votre esprit, désormais bien reposé. Ne vous laissez pas décourager par le mauvais temps : la pluie ou la neige peuvent être aussi revigorants, pour l'esprit, qu'un soleil radieux.

12 **Fermez les yeux** pendant une minute et imaginez que vous êtes aveugle. Ouvrez-les à nouveau et laissez le monde inonder vos sens. Puis, imaginez que vos « sens supérieurs » s'ouvrent et vous font vivre intensément toute la beauté du monde. Après cet acte de privation imaginaire, vous ressentirez une extraordinaire gratitude. Essayez de conserver cette sensation à l'esprit, à mesure que s'estompe le souvenir de cette obscurité vécue pendant une minute.

13 **Prononcez une prière** matinale, en trois étapes. D'abord, rendez grâce pour cette nouvelle journée ; ensuite, souhaitez santé et bonheur aux autres ; enfin, appelez de vos vœux les qualités qui vous permettront d'affronter la journée qui commence dans les meilleures dispositions.

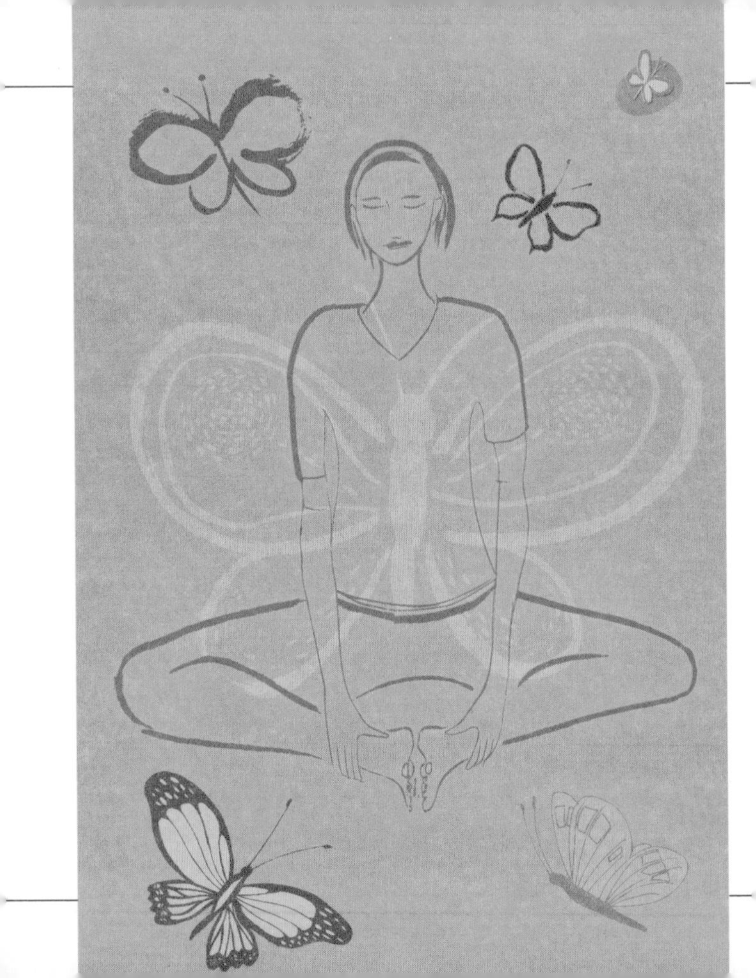

Confirmez votre prière par un acte (14). Par exemple, envoyez une carte ou téléphonez à l'une des personnes pour lesquelles vous avez prié, à quelqu'un qui a besoin de votre aide, en ce moment.

15 **Faites une méditation matinale**. Dans de nombreuses traditions spirituelles, la première méditation de la journée a lieu entre quatre et cinq heures du matin. C'est là, en effet, que l'atmosphère est la plus reposée et la plus propice au recueillement. Cela facilite la méditation et la rencontre avec soi-même. Quel meilleur moyen pour mobiliser son énergie en vue de la journée qui s'annonce ?

16 **Concentrez-vous sur votre respiration**, dès que vous êtes levé. Inspirez en gonflant le ventre le plus possible. En expirant, laissez retomber vos épaules et chassez le plus d'air possible de vos poumons. Faites cet exercice sur dix respirations complètes. Au fur et à mesure, vous sentirez l'énergie de cette nouvelle journée pénétrer dans votre corps.

17 **Marchez avant de prendre votre petit déjeuner** : profitez du spectacle des premières heures de la journée. Une petite promenade vous ouvrira aussi l'appétit.

18 **Observez une araignée qui tisse sa toile.** Considérez cette toile comme un mandala (diagramme sacré de méditation, voir. p. 112). Concentrez-vous sur sa structure concentrique, allant du centre à la périphérie. Tout en appréciant la beauté et la complexité de cette œuvre de la nature, soyez conscient du fait que la toile existe dans le monde réel, devant vos yeux, mais aussi dans votre esprit. Conservez dans votre esprit cette image d'une toile accrochée dans le vide.

19 **Profitez de la lumière de l'aube** : observez la façon dont les couleurs remplissent les formes et suppriment la grisaille.

20 **Célébrez le lever du soleil**, le jour du solstice d'hiver (21 décembre dans l'hémisphère Nord). C'est un rituel qui en vaut la peine. Cette journée nous rappelle que même pendant les mois les plus sombres, l'énergie vitale reste présente. Organisez votre propre cérémonie : petit déjeuner aux chandelles ou cérémonie matinale du thé, avec des tisanes particulières. Vous pouvez aussi choisir cette journée pour placer une étoile dorée, emblème du soleil, au sommet de votre sapin de Noël. **Le lever du soleil, le jour du solstice d'été (21)**, qui correspond à la journée la plus longue de l'année (le 21 juin dans l'hémisphère Nord), symbolise la victoire de la lumière sur les ténèbres. La cérémonie peut alors consister en une méditation sur une fleur (voir n° 252, p. 115) ou la confection d'une couronne de fleurs pour quelqu'un qui vous est cher, ou encore une prière rendant grâce aux nombreuses heures lumineuses que vous passerez ensemble.

22 Imaginez six choses incroyables lorsque vous vous levez. Pensez par exemple à la reine d'*Alice au Pays des merveilles*. Vous exercez ainsi votre esprit à faire face à l'inattendu et à' l'accepter. Deux exemples, pour vous aider : un pays qui condamne les horlogers pour mauvais traitements au temps ; un ermite convaincu qu'il aimera mieux son prochain s'il vit sur une île déserte.

23 **Prenez une douche le matin, un bain le soir**. À chaque moment de la journée correspond une humeur ou une forme d'énergie. Si nous accordons nos activités quotidiennes (en l'occurrence, nos habitudes d'hygiène) aux rythmes de la journée, nous aurons l'impression indéfinissable d'être en harmonie avec nous-mêmes.

24 **Chantez sous la douche**. Le chant puise sa force dans le bien-être inné de notre âme et nous rappelle notre véritable nature. C'est également une célébration de l'osmose entre le corps, l'esprit et l'âme. Lorsque vous chantez, sentez les vibrations sortir de votre cœur pour remplir votre corps, puis la pièce. Qu'il est bon d'être vivant !

25 Mettez une chemise aux couleurs vives ou ajoutez une note de couleur à vos vêtements. Cette présence égayera l'environnement et ceux qui vous entourent. Chaque couleur revêt une importance symbolique. Choi-

sissez-en une qui résonne d'une façon toute particulière avec votre état d'esprit ou les objectifs que vous vous êtes fixés pour la journée. Le rouge est la couleur du courage et de la passion, le jaune celle du soleil et de l'optimisme, le bleu est associé à l'ouverture et à la sérénité, le vert à la tranquillité et à l'équilibre et enfin, le blanc, à la pureté et à la paix intérieure.

Si vous devez adopter une tenue classique sur votre lieu de travail, rien ne vous empêche de porter **une cravate ou un collier aux couleurs vives (26).**

27 **Mettez votre nouvelle chemise ou votre nouvelle veste aujourd'hui.** N'attendez pas une occasion spéciale : celle-ci a justement lieu aujourd'hui.

28 **Enfilez quelque chose d'amusant sous vos habits**, par exemple un T-shirt avec une phrase drôle. Cela permet de souligner qu'il y a autre chose en vous que ne le montrent les apparences. D'ailleurs, la voie vers la spiritualité consiste souvent à s'éloigner de la norme.

29 **Portez du blanc, si vous en ressentez l'envie.** Les vêtements blancs ont quelque chose de charismatique. Ne vous inquiétez pas s'ils se tachent : c'est tout à fait normal !

30 **Mettez des vêtements qui vous vont bien**. Plus confortables, vous vous y sentirez mieux, vous aurez une meilleure image de vous-même et garderez ou retrouverez votre confiance en vous. Résistez à la tentation du pis-aller lorsque vous achetez vos habits !

Portez des tissus dont vous aimez le toucher (31), comme de la laine douce et chaude ou du velours soyeux.

Portez des fibres naturelles (32), comme le coton et le lin, qui permettent à la peau de respirer et réduisent les irritations.

33 **Cherchez des choses perdues**, si vous avez le temps. On a toujours « perdu » quelque chose. Ne vous inquiétez pas si vous ne retrouvez pas la chose recherchée. Vous pourriez faire quelques découvertes inattendues.

34 **Prenez un verre de jus de fruits frais au petit déjeuner**. Ils contiennent un concentré de vitamines, de minéraux, d'enzymes et d'autres éléments qui renforceront vos défenses immunitaires et amélioreront généralement votre bien-être.

Investissez dans une centrifugeuse (35). Les jus de fruits « maison » n'étant pas traités, ils sont beaucoup plus sains que ceux du commerce. En outre, vous pouvez varier les plaisirs et adapter votre production aux saisons.

Réhydratez et purifiez votre organisme (36) en buvant le jus de trois pommes, d'une poignée de grains de raisins noirs et d'une nectarine. **Renforcez votre système immunitaire (37)** en associant le jus de trois pommes, deux carottes et un cube de gingembre frais d'un centimètre.

38 **Préparez-vous un « smoothie ».** Ces jus de fruits mixés avec leur pulpe, à base de banane et/ou de lait ou de yaourt, à la consistance épaisse, sont plus intéressants sur le plan nutritionnel, que des jus de fruits simples. Les fibres qu'il contiennent ralentissent la digestion et l'absorption des nutriments, tout en mobilisant le système digestif.

Chassez le spleen de l'hiver (39) avec la boisson suivante : une banane, un demi-ananas, une demi-papaye et 12 cl de jus de goyave. **Rassasiez-vous (40)** avec un *smoothie* énergétique composé de deux bananes et de huit pruneaux mis à tremper la veille, trois gouttes d'essence de vanille, un demi-pot de yaourt et 10 cl de jus d'ananas.

41 **Limitez-vous à un café le matin**, si vous n'arrivez pas à vous en passer. Le café stimule les glandes surrénales et, consommé en excès, rend nerveux, irritable et déshydrate par son action diurétique.

Essayez des succédanés du café. On trouve dans le commerce **de l'orge torréfiée (42), de la chicorée (43) et d'autres préparations à base de céréales (44)**, qui restituent parfaitement le goût du café.

45 **Prenez toujours un petit déjeuner**, en suivant le dicton : « Le matin, mange comme un ogre, à midi comme un homme et le soir comme un oiseau ». Un petit déjeuner relativement copieux donne un bon coup de pouce au métabolisme, permet d'affron-

ter sereinement la journée et rompt après tout le jeûne de toute une nuit !

46 **Pensez aux flocons d'avoine !** Ces céréales sont une source intéressante d'énergie, surtout pour l'hiver, et sont riches en vitamine B, nécessaire au bon fonctionnement du système nerveux et musculaire.

En été, **essayez le muesli (47)**. Le *Bircher muesli* avait été concocté par le docteur du même nom pour les patients de sa clinique, dans les montagnes suisses. La recette est simple : faites tremper, la veille au soir, une poignée de flocons d'avoine dans de l'eau ou du jus de fruits sans sucre pour les rendre plus digestes. Le matin, ajoutez une pomme râpée, une poignée de fruits séchés ou frais hachés et deux cuillérées à soupe de yaourt nature ou de lait concentré sucré.

REGARDER DEVANT SOI

48 **Oubliez les erreurs d'hier.** Une nouvelle journée commence, votre esprit est reposé par une nuit de sommeil et rien ne doit vous laisser penser que vos erreurs ou vos malheurs d'hier se répéteront aujourd'hui. Dressez la liste de tous les enseignements tirés de vos erreurs passées... Et passez à autre chose !

49 **Imaginez qu'un cambrioleur vous a rendu visite**, pendant la nuit ; il s'est emparé de votre passé et de vos habitudes les plus solidement ancrées, mais vous disposez d'un pouvoir magique qui ramène ce que vous voulez. Vous êtes libéré de tout fardeau que vous n'auriez pas choisi. Aujourd'hui, vous pouvez choisir la réponse la plus adaptée plutôt que de réagir de façon mécanique, dans vos relations avec le monde extérieur. Essayez, pendant un moment, d'être la personne que vous voudriez être.

50 **Décidez d'être heureux**, aujourd'hui, quoi qu'il arrive. Cet effort est en votre pouvoir. Le bonheur appartient à ceux qui ont confiance en eux ; il est en nous. Décider d'être heureux, c'est un acte positif, une promesse qui se réalisera d'elle-même, que l'on peut comparer au « oui » du mariage.

51 **Formulez une affirmation personnelle** et répétez-la vingt fois chaque matin. Il doit s'agir d'une phrase simple et positive, commençant par « Je suis », comme « Je suis en paix » ou « Je suis solide comme une forteresse ». Ces formules renforcent la conscience et la confiance en soi. Elles contredisent les pensées négatives que nous nous adressons souvent et nous rappellent notre vraie valeur. Dans votre affirmation, pensez à des qualités que vous savez posséder, mais aussi à celles que vous aimeriez posséder.

Si vous avez du mal à identifier vos points forts, **demandez à un(e) ami(e) (52)** quelles qualités il/elle voit en vous. Pour les journées s'annonçant particulièrement difficiles, créez-vous des **affirmations spécifiques (53)**

54 **Planifiez votre journée**. Le matin est le bon moment pour le faire, parce que l'on est reposé et en forme. Pensez surtout à ce que vous aurez besoin d'acheter ou d'emprunter pour mener à bien vos projets. Réservez-vous du temps pour ces préparatifs.

Prévoyez les difficultés (55) qui pourraient se présenter. Pensez aux qualités que vous devrez mobiliser – concentration et rigueur pour une tâche intellectuelle, tact et diplomatie dans vos relations avec autrui, acceptation face à une éventuelle déception. Demandez-vous si vous arriverez à mobiliser toutes les qualités requises. Si cela n'est pas le cas, donnez-vous du temps, avant l'événement lui-même, pour méditer sur ce que l'on attend de vous et pour puiser dans vos réserves les plus profondes.

56 **Appelez-vous, à votre bureau,** avant de partir, et déposez un message dans votre messagerie, par exemple une pensée particulièrement pénétrante, une bonne résolution, voire une blague.

Faites la même chose pour quelqu'un d'autre (57), un ami, ou un membre de la famille qui rencontre des difficultés provisoires dans son travail, afin de l'aider à commencer sa journée d'un bon pied.

AU TRAVAIL !

58 **Profitez de votre temps de trajet** si vous prenez les transports en commun, pour lire, écouter de la musique ou méditer. Partez un peu plus tôt de chez vous pour avoir une place assise. Sinon, vous pouvez aussi **vous imprégner de votre environnement (59)**. Laissez-vous envahir par ce que vous voyez et ce que vous entendez. Vous pourriez même **engager la conversation avec quelqu'un (60)** : cela vous choque-t-il tant que cela ?

61 **Empruntez l'itinéraire le plus agréable** : si cela vous oblige à faire un détour, dites-vous qu'un peu d'exercice vous fera du bien !

62 **Fermez les yeux** et imaginez la foule comme un groupe d'âmes en communion. Prenez conscience de cette chaleur humaine et réjouissez-vous à son contact.

Laissez votre place assise (63). Vous serez surpris par les sentiments que peut faire naître en vous un geste de bonté aussi simple.

64 **Lancez-vous dans une méditation** si la foule est vraiment compacte. Imaginez que tous ces étrangers qui vous entourent, et vous-même, êtes des sardines serrées dans une boîte de conserve. Au lieu d'être irrité par leur contact, pensez que, dans le fond, vous êtes les mêmes et que vous traversez les mêmes tribulations, ce qui vous les rendra plus sympathiques.

65 **Marchez jusqu'à votre lieu de travail en observant attentivement** le paysage autour de vous : vous ferez d'intéressantes découvertes. Repérez les cafés ou les nouveaux établissements, où vous pourriez prendre un verre avec des amis ou organiser une réunion de travail informelle.

66 **Prenez le petit déjeuner avec un(e) ami(e)**, à quelques pas de votre lieu de travail. Les rencontres matinales, lorsque l'on a l'esprit clair et que la journée commence, peuvent être très fructueuses.

67 Levez les yeux au ciel en marchant, notamment en ville, dans les quartiers anciens, où les styles architecturaux les plus divers se côtoient.

68 Faites cirer vos chaussures en allant travailler, par une machine ou un cireur. (New York est la capitale mondiale des cireurs de chaussures, mais ce type de service a tendance à se diffuser dans le monde entier). Ensuite, ayez un regard d'approbation pour votre reflet et vos chaussures étincelantes.

69 Faites le trajet, en voiture, avec quelqu'un. Une conversation amicale dès le matin vous mettra de bonne humeur pendant toute la matinée, sans compter que vous aurez contribué à réduire l'effet de serre !

Organisez des roulements, au volant (70), entre voisins ou connaissances, par exemple.

71 **Équipez votre véhicule d'accessoires utiles** : carte routière, parapluie, lunettes de soleil, mouchoirs en papier, lampe-torche et torchon pour vous essuyer les mains en cas de panne.

Si vous vivez dans des conditions climatiques extrêmes, **prévoyez le mauvais temps (72)**, notamment en ayant des réserves de nourriture et de boisson dans votre voiture. N'oubliez pas non plus de mettre des vêtements chauds et une pelle pour déneiger la route.

Gérer son stress et ses émotions

73 **Imaginez-vous dans une bulle bleue,** qui vous entoure et vous protège. Le bleu est la couleur de la protection et de la tranquillité. En nous imaginant enveloppés dans cette « bulle », nous évitons que nos énergies soient « phagocytées » par ceux qui nous entourent. Cette technique est particulièrement utile lorsque l'on se trouve au milieu d'une foule.

Autre solution : le **cercle magique (74)**. Imaginez que quelqu'un trace un cercle autour de vous, sur le sol, puis imaginez que des parois invisibles, indestructibles et transparentes s'élèvent du cercle. Vous êtes invulnérable : rien ne peut atteindre votre être essentiel, protégé par ce halo vertical et invisible.

75 **Respirez profondément**. Si vous êtes très agité, votre respiration est sans doute saccadée. Inspirez lentement et profondément, en comptant jusqu'à sept. Puis, expirez lentement et régulièrement en comptant jusqu'à onze. Recommencez jusqu'à ce que vous sentiez votre respiration se calmer et la tension se relâcher.

76 **Posez votre tête sur un oreiller ou un coussin**, pour faire tomber la colère ou apaiser les tensions. Voyez cet oreiller comme une éponge qui absorbe comme du buvard toutes les tensions et les frustrations de votre esprit.

77 **Serrez une pierre dans votre poing**, de toutes vos forces, puis relâchez progressivement la tension. Bercez lentement la pierre, comme si vous vouliez faire la paix. Faites ce geste dès que vous vous sentez tendu(e) ou en colère, jusqu'à ce que ces sentiments disparaissent.

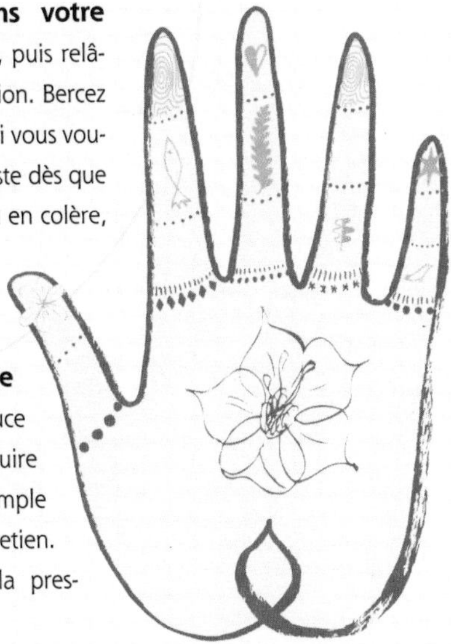

78 **Pressez le centre de votre paume** avec le pouce de l'autre main, pour réduire votre nervosité, par exemple avant un examen ou un entretien. Augmentez régulièrement la pres-

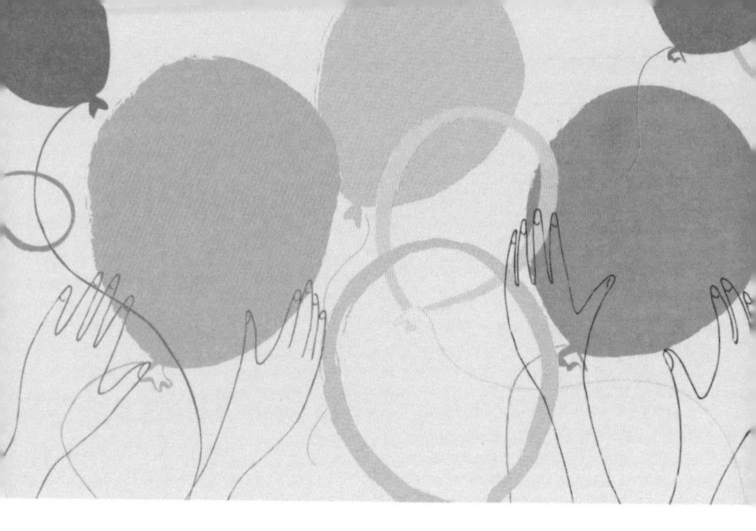

sion, tout en expirant. Maintenez la pression pendant trois à sept secondes, puis relâchez tout en inspirant. Répétez l'opération trois fois ou jusqu'à ce que l'anxiété se dissipe.

79 **Travaillez vos réflexes de Pavlov.** Le scientifique russe Ivan Pavlov a découvert que l'organisme humain peut être entraîné à réagir à certaines stimulations extérieures. Exploitez ce principe pour induire une sensation de calme intérieur dans les périodes de stress.

Ainsi, à chaque fois que vous êtes détendu(e) et heureux (se), repensez à un événement plaisant et pincez-vous le lobe de l'oreille. Répétez l'opération aussi souvent que possible : vous finirez par associer ce geste à un état de détente. C'est un moyen de combattre les symptômes physiologiques du stress : lorsque vous vous pincerez le lobe de l'oreille, votre niveau de stress devrait automatiquement diminuer, en raison de cet « apprentissage ».

80 **Stress et ballons**. Placez mentalement vos soucis dans la nacelle d'une montgolfière. Regardez-les s'élever lentement dans les airs. Vos problèmes s'éloignent en même temps que le ballon.

81 **Chantez pour chasser la tristesse.** Le fait de chanter juste ou pas n'a aucune espèce d'importance. Le chant libère les émotions refoulées, remonte le moral et aide à renouer avec les promesses de l'existence.

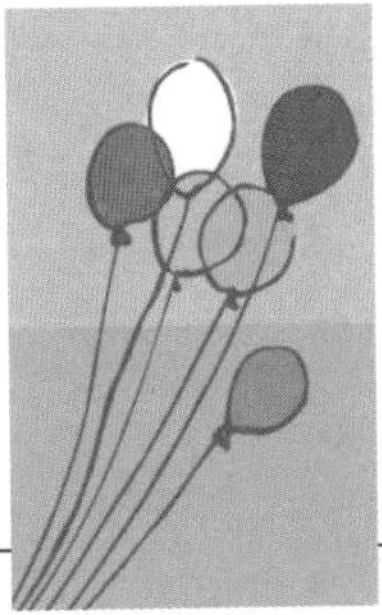

82 **Expirez le « négatif », inspirez le « positif ».** Cet exercice consiste à associer une image à votre respiration. Asseyez-vous confortablement et détendez-vous. Concentrez-vous sur votre respiration. En expirant, visualisez une émotion négative, comme la colère : laissez-la s'échapper par vos narines. Lorsque vous inspirez, représentez-vous une émotion positive, comme la compassion, qui entre dans vos poumons, puis dans votre sang où elle se diffuse dans toutes les parties de votre corps. Poursuivez cet exercice cinq minutes environ.

Cet exercice peut aussi porter sur les émotions suivantes : **accusations et compréhension (83), ressentiment et acceptation (84), vengeance et pardon (85)**.

86 **Ne faites donc rien, restez assis là !** Contrairement à l'exhortation couramment proférée : « Mais fais donc quelque chose ! », lorsque les émotions se bousculent, que vos problèmes vous semblent insurmontables ou que vous avez l'impression d'avoir perdu le nord, la meilleure chose à faire est sûrement... de ne rien faire !

Asseyez-vous pendant quelques minutes, gardez le silence, rassemblez vos forces. Donnez à votre esprit et à votre corps l'« autorisation » de se détendre.

87 **Faites rouler des boules chinoises dans les paumes de vos mains**, afin de favoriser un état d'esprit calme, mais alerte. Laissez-vous bercer par les mouvements répétitifs de vos mains et par le cliquetis des boules. Jouissez de la stimulation mentale qu'offre ce geste des mains.

88 **Faites couler de l'eau sur vos poignets lorsque vous avez chaud ou que vous êtes inquiet.** Cela rafraîchira votre corps tout entier, car directement sous la peau, sur la face intérieure de vos poignets (côté paume), se trouvent des artères.

Autre moyen de vous rafraîchir : **passez-vous un peu d'eau derrière les oreilles (89)**.

90 **Évoquez le sourire** de quelqu'un qui vous aime, afin d'y puiser la force d'affronter un problème. (Si cet exercice vous semble difficile, utilisez une photographie.) Répondez par un sourire et voyez celui de la personne imaginaire s'élargir.

91 **Pour vaincre votre nervosité dans une fête** imaginez que vous participez à un jeu de bonnes manières organisé par un observateur invisible. Vous pouvez aussi imaginer que **chaque personne rencontrée possède un étrange hobby secret (92)**. Le jeune homme aux manières affectées, là-bas, se passionne sûrement pour les fleurs en origami, tandis que cette femme à l'intelligence imposante raffole peut-être de romans à l'eau de rose !

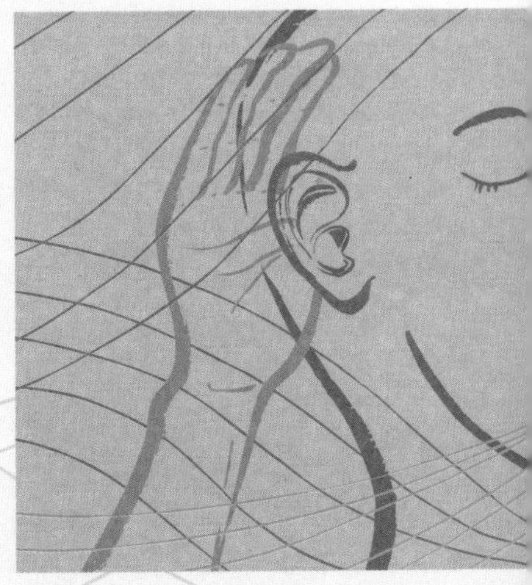

93 **Prenez un bébé dans vos bras pendant quelques moments**, si vous en avez la possibilité. Cette expérience essentielle vous aidera à mettre vos problèmes en perspective. Fondez de plaisir en le voyant sourire.

94 **Posez-vous d'abord les questions avant de chercher les réponses**. Lorsque vous êtes confronté à des questions complexes, évitez la voie la plus évidente. En voulant trouver trop rapidement une réponse, vous risquez de vous faire prendre au piège d'hypothèses fausses ou simplistes.

95 **Une marionnette dans chaque main**, mettez en scène vos conflits intérieurs, par exemple entre votre côté masculin et féminin ou entre votre créativité et votre rationalité. Il s'agit d'une méthode amusante utilisée dans la gestalt-thérapie ou la thérapie par l'art, notamment.

96 **Tenez-vous en à votre première idée** aussi longtemps que possible. Le doute a souvent tendance à s'insinuer dans notre esprit alors que nous sommes déjà engagés sur une voie. Ne renoncez pas immédiatement à votre projet. Examinez vos doutes afin de tester votre résolution et de surmonter vos hésitations.

Si, en poursuivant sur la même voie, vos doutes continuent à vous assaillir, vous devez vous préparer à **modifier votre ligne de conduite (97)** et, si nécessaire, à prendre un autre chemin.

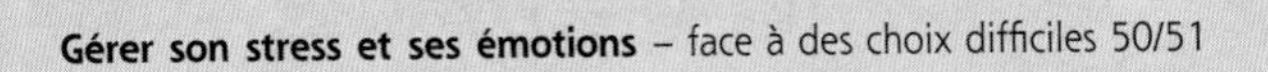

98 **Soyez votre propre conseiller** lorsque vous avez un dilemme à résoudre. Les yeux fermés, imaginez votre alter ego assis en face de vous. Que vous demande-t-il ? Quelles réponses les plus sincères pouvez-vous lui donner ? Écoutez les conseils que vous vous prodiguez. Vous faites-vous confiance ? Alors, suivez ces conseils ! Vous n'en entendrez pas de meilleurs !

99 **Faites quelque chose, ne restez pas passif**. Les blocages s'installent lorsque nous nous torturons sur la meilleure chose à faire. La solution consiste à agir, puis à se mettre à l'écoute d'un « écho », positif ou négatif : l'absence d'« écho » est tout aussi importante. Utilisez ensuite cet « écho » pour adapter votre ligne de conduite, le cas échéant.

100 **Demandez-vous comment** le « jeune sage », en vous, agirait, chaque fois que vous avez du mal à faire un choix. Ce « jeune sage », c'est l'enfant qui sommeille en vous. Enfants, nous étions plus intuitifs. À mesure que nous vieillissons, nous avons

parfois l'impression que cette sagesse innée est étouffée par le conditionnement et l'expérience. En vous adressant à votre « jeune sage », vous renouerez avec votre intuition et choisirez plus sincèrement une solution.

101 **Prenez des forces, intérieurement**, avant de vous attaquer à un problème. Faites un récapitulatif des qualités dont vous êtes fier, ainsi que de vos accomplissements passés et présents. Sentez votre puissance augmenter avec chaque nouvelle qualité ajoutée à votre liste. Complétez cette approche en pensant aux **bienfaits que la vie vous apporte (102)**, comme l'amour des autres, la beauté du monde naturel ou encore la nourriture sur votre table.

103 Dénouez vos problèmes. La plupart des problèmes sont comme des fils formant des nœuds compliqués entre eux. Avant de les dénouer, commencez par en nommer chaque « fil ». Dessinez ces « fils » sur une feuille de papier, en donnant un nom à chacun d'entre eux. Vous découvrirez ainsi un moyen plus rapide d'aboutir à une solution.

104 **Lisez un roman classique**. Cette tactique de diversion est particulièrement utile lorsque votre analyse d'un problème devient obsessionnelle, sans pour autant vous livrer de solution. La structure narrative d'un roman classique vous aidera à canaliser votre pensée « circulaire » en vous incitant, de façon subliminale, à « avancer » dans votre problème.

105 **Marchez pour résoudre un problème**. Vous mettrez en pratique le dicton latin *Solvitur ambulando* que l'on pourrait traduire par « la solution vient en marchant ». Marchez une demi-heure, apaisez-vous au rythme de vos pas. Vous sentirez vos pensées les plus gaies et les plus positives remonter à la surface, tandis que les plus lourdes et les plus graves s'enfoncent en vous pour disparaître.

106 **Agissez.** Parfois, nous sommes tellement pris dans nos pensées que nous sommes incapables de progresser. C'est comme si, perdus dans une grande ville inconnue, nous passions toujours devant les mêmes édifices. Il suffit parfois d'agir, de s'occuper à quelque chose de totalement différent pour débloquer la situation.

Les tâches ménagères (107) comme la cuisine, le ménage ou **les activités répétitives (108)** telles que la conduite, le tricot ou la couture se révèlent particulièrement utiles lorsqu'il s'agit de lâcher prise sur des schémas de pensée récurrents, parce qu'elles font fonctionner l'hémisphère gauche du cerveau et qu'elles « libèrent » l'hémisphère droit, qui peut alors se consacrer à d'autres pensées, plus créatives.

109 **Laissez votre problème de côté**. S'il ne requiert pas de solution urgente, laissez-le « reposer » quelque temps. Notez-le, dans votre agenda, pour une date ultérieure. Passez à autre chose, puis, au bout d'une semaine ou deux, vous réaliserez qu'il s'est résolu de lui-même ou que vous êtes dans de meilleures dispositions pour y réfléchir à nouveau.

110 **Notez ce qui vous tracasse**. Ce simple geste peut vous aider à prendre du recul par rapport à vos soucis et à vous en libérer pour vous consacrer à autre chose. Si vous n'arrivez pas à vous détacher du problème, prenez le temps de **formuler clairement vos inquiétudes (111)**. Dénichez un endroit tranquille et couchez

vos pensées sur le papier. Que peut-il arriver, au pire ? Décidez d'un certain nombre d'actions à entreprendre les jours qui suivent, afin de réduire l'éventualité d'un résultat négatif.

112 **Rome ne s'est pas faite en un jour** ! Dressez une liste des sujets qui vous tracassent le plus, en début de soirée, puis oubliez-les et profitez du reste de la journée. Il est beaucoup plus facile d'affronter les tâches les plus difficiles le matin, lorsque l'on a fait le plein d'énergie.

113 **Résolvez vos dilemmes sur le papier**, en faisant deux colonnes, Pour et Contre, lorsque vous n'arrivez pas à décider s'il faut ou non poursuivre dans une certaine voie. Dressez la liste des avantages et des inconvénients dans la colonne correspondante, par ordre d'importance, de 1 (le moins important) à 5 (le plus important). Faites ensuite le total pour connaître la décision qui l'emportera.

114 **Consultez un ami** lorsque vous êtes confronté à un choix difficile, pour savoir ce qu'il ou elle ferait à votre place. Son opinion donnera peut-être un éclairage différent à votre dilemme.

115 **Acceptez le fait que « le cœur a ses raisons »**. Les arguments logiques s'appliquent, certes, à certains problèmes pratiques, mais d'autres questions, plus troubles et teintées d'affectivité, résistent à ces raisonnements. Dans ce cas, adoptez une autre approche (voir n° 116).

116 **Écoutez votre intuition** pour savoir si une ligne de conduite est bonne ou mauvaise. Si vous sentez que la logique prend le dessus, fermez les yeux et imaginez la meilleure ligne de conduite comme une boule de lumière s'élevant de votre ventre et irradiant votre esprit de vérité.

117 **Écoutez votre conscience**. Lorsqu'il s'agit de questions d'ordre moral, la conscience est un bon moyen d'éviter la confusion qui naît lorsque l'on prête trop l'oreille aux avis contradictoires provenant du monde extérieur.

118 **Cherchez l'aide d'autrui** lorsque le problème résiste à vos tentatives solitaires de recherche d'une solution. Comme dit le proverbe, « l'union fait la force ».

VISUALISER LA SOLUTION

119 Imaginez un coffre fermé à clé, posé sur une table devant vous. Vous seul avez la clé. À l'intérieur de ce coffre se trouve l'objet qui représente la solution à votre problème. Fermez les yeux, rappelez-vous le problème, puis regardez-vous ouvrir le coffre. Que voyez-vous, à l'intérieur ? Quels indices trouvez-vous ?

120 Tracez-vous un chemin dans une forêt dense, mentalement, lorsque vous êtes confronté à une situation apparemment inextricable. Cette image mentale renforcera votre confiance en vous et vos possibilités, mais vous convaincra aussi de l'existence d'une solution. Imaginez-vous assis par terre, entouré de buissons impénétrables et plongé dans une cacophonie d'animaux sauvages. De l'endroit où vous êtes assis, vous savez qu'un sentier s'ouvre, derrière vous. Lorsque vous vous retournez, vous voyez ce sentier, exactement tel que vous vous l'étiez imaginé. À mesure que vous vous avancez sur ce chemin, vous laissez le bruit des animaux derrière vous. Vous sentez que les arbres vous regardent, vous sourient, qu'ils célèbrent votre courage.

121 Voyez la lumière au fond du tunnel. Lorsque les problèmes vous semblent insurmontables, cette méditation vous redonnera espoir. Fermez les yeux et imaginez que vous êtes plongé(e) dans l'obscurité. Au bout de quelques minutes, visualisez un point de lumière, à quelque distance. À mesure que vous vous en approchez, le point s'agrandit jusqu'à se transformer en entrée d'un tunnel. La lumière du jour permet désormais de discerner la voûte du tunnel et le sol. Au-delà, vous apercevez un paysage verdoyant. Sortez à la lumière du jour et sentez le soleil réchauffer votre visage. Sentez l'apaisement que cause ce retour à la lumière du jour.

122 Franchissez un pont, mentalement. Imaginez que votre problème se trouve du côté de la rivière où vous vous trouvez vous-même et la solution sur l'autre rive. Construisez mentalement un pont entre les deux rives. Ce pont doit avoir cinq piles, correspondant chacune à une qualité qu'il vous faudra mobiliser dans cette situation : nommez ces qualités. Maintenant, imaginez-vous en train de traverser ce pont. Arrivé de l'autre côté, vous découvrez un objet. De quoi s'agit-il ? Qu'est-ce que cela signifie ?

123 **Règle de trois**. Pour bien faire les choses, nous devons parfois scinder chacun de nos actes en trois phases. Par exemple, pour pardonner, il faut d'abord le vouloir sincèrement ; ensuite, il faut procéder à l'acte de pardon lui-même (en le disant ou non) ; enfin, il faut se tenir à sa décision. Cette approche en trois étapes est utile pour régler un problème une bonne fois pour toutes.

124 **Éliminez vos phobies** en les apprivoisant. En d'autres termes, exposez-vous de plus en plus à l'objet ou à la situation ayant provoqué la phobie. Augmentez progressivement l'« intensité d'exposition ». Par exemple, si vous avez peur des araignées, commencez par en regarder sur une photographie. Ensuite, observez des araignées en plastique, puis examinez-en une vraie, à quelques mètres de distance. Réduisez progressivement la distance.

125 Envisagez vos problèmes dans une perspective globale, afin de les replacer à leur véritable échelle. Imaginez que vous êtes dans une soucoupe volante, en orbite autour de la Terre. Vous observez des images satellite, sur votre écran de contrôle : vous regardez un flot d'employés de bureau se déversant dans les rues, comme autant de fourmis ; des dauphins plongeant joyeusement dans l'Atlantique ; des oies sauvages en formation au-dessus du désert africain. En observant les activités de chacun de ces êtres vivants à l'aide du zoom, vous réalisez que chacun d'entre eux fait partie du grand réseau de la vie. Considérez vos problèmes dans ce contexte plus vaste. Ne vous semblent-ils pas moins importants ? Ou moins lourds à porter ?

126 Ne soyez pas catastrophiste. Lorsque nous pensons à un événement futur, nous sommes parfois tentés d'envisager le pire, afin de nous préparer à tout. Toutefois, cette attitude fait souvent naître une anxiété inutile, les choses étant rarement aussi dramatiques que nous le prévoyions. Dans ces situations, prenez, certes, des précautions, mais refusez d'imaginer des catastrophes à venir.

127 Scindez vos inquiétudes. Lorsque les inquiétudes « s'agglutinent », elles paraissent insurmontables. Séparez-les les unes des autres. Alors, chaque problème revêtira une dimension plus modeste, ce qui facilitera sa compréhension et la recherche d'une solution.

128 Recadrez vos souvenirs. Rappelez-vous quelques souvenirs douloureux. Réfléchissez à ce qui s'est vraiment passé. Faites la distinction entre les événements et votre interprétation de ces derniers. Pouvez-vous les voir sous un jour plus positif ? Racontez-vous à nouveau l'histoire sous un angle différent, plus positif : vous constaterez que l'emprise émotionnelle n'est plus aussi forte.

129 **Imaginez-vous dans un an.** Quelle importance accorderez-vous alors aux sentiments qui vous agitent en ce moment ? Cette méthode est particulièrement utile pour faire face aux sentiments de colère, mais cela fonctionne aussi pour d'autres sentiments comme la jalousie et le ressentiment. Souvenez-vous que, dans la réalité, les problèmes ont rarement la forme immuable que nous leur conférons dans notre imagination.

130 **Demandez-vous si vous ne pouvez pas « faire quelque chose »,** plutôt que de ne rien faire. Cela vous demande simplement de changer d'attitude. Une fois que vous aurez rompu la logique négative de vos pensées, vous élargirez votre marge de manœuvre et permettrez ainsi à des pensées positives d'éclore.

131 **Optez pour l'optimisme**. Selon les recherches des psychologues, les optimistes adoptent un « style explicatif » très particulier lorsqu'ils interprètent les choses qui leur arrivent, en considérant que les événements positifs sont dus à leurs capacités et les négatifs à un simple manque de chance. Cette attitude renforce l'estime de soi et la paix intérieure et donne à ceux qui la pratiquent une plus forte résistance et une plus grande capacité à surmonter les difficultés.

132 **Collectionnez les proverbes** ou les dictons, ils sont efficaces pour « absorber » le stress ou gérer des situations difficiles. Ainsi du proverbe « le temps guérit tous les maux » ou « il n'est pas nécessaire d'espérer pour entreprendre, ni de réussir pour persévérer ». Faites-vous une petite collection de dictons correspondant aux situations difficiles que vous pourriez rencontrer.

Partagez votre sagesse (133). Si l'un de vos amis traverse une période difficile, envoyez-lui une petite carte avec un dicton pour le consoler ou lui donner du courage.

134 **Soyez moins sensible aux louanges, comme aux récriminations**. Vous trouverez ainsi la sérénité dans ce que vous entreprenez. En quêtant les louanges, vous dépendez de l'image qu'ont les autres de vous, ce qui vous rend vulnérable à leurs changements d'humeur et d'avis. En cherchant nous-mêmes à savoir ce que nous valons, nous sommes beaucoup plus forts, intérieurement, et mieux en mesure de répondre aux aléas et aux défis de l'existence.

135 Acceptez les côtés négatifs de votre personnalité. Il nous arrive souvent d'éprouver de la frustration parce que nous ne sommes pas aussi calmes et concentrés que nous le souhaiterions, ce qui ne fait qu'empirer notre état. Au lieu d'essayer à tout prix d'adopter une attitude positive, prenez le temps de déterminer comment vous vous sentez. Essayez de trouver un endroit « neutre », à l'intérieur de vous-même, où vous pourrez « cohabiter » avec vos émotions sans devoir les chasser. Vous remarquerez sans doute que cette acceptation aimante de vos propres sentiments agit comme un antidote à votre souffrance.

136 Assumez vos émotions. En rendant les autres responsables de ce qui vous arrive, vous finirez par vous considérer comme une victime. N'oubliez pas que c'est vous qui choisissez votre façon de réagir à ce qui vous entoure. Vous renonceriez à une partie de votre pouvoir personnel en pensant autrement.

137 Relâchez vos « soucis animaux » dans la nature. Certains types de soucis sont comme un singe qui saute de tous les côtés dans notre tête et ne nous laisse pas en paix. D'autres ressemblent à un éléphant qui se dresse en face de nous et barre notre horizon. Identifiez l'animal qui symbolise le mieux vos tracas et libérez-le en ouvrant sa cage (nos soucis sont emprisonnés dans notre esprit).

138 **Écrivez-vous**. Laissez votre moi calme s'adresser au moi inquiet, si vous avez besoin d'être conseillé ou rassuré, et que personne d'autre ne peut le faire. Restez aussi concret que possible. Vous serez peut-être surpris de constater avec quelle facilité vous arrivez à faire parler la voix du calme, à l'intérieur de vous-même.

139 Connaissez vos émotions. Lorsque nous avons pleinement conscience de nos réactions émotives et que nous comprenons leur origine, nous avons beaucoup plus de facilité à ne pas nous laisser « déborder » par les autres et par le monde qui nous entoure.

140 Décorsetez-vous. Nous sommes tous « sanglés » dans certaines certitudes. Ceux qui osent y toucher nous font « exploser » ou nous contrarient profondément. Pour vous débarrasser de ce « corset mental », il vous faudra quelques semaines, voire toute la vie. Commencez par identifier ce corset imaginaire, puis coupez-en les lacets un à un. Ne vous précipitez pas, surtout !

141 **Critiquez votre sens critique.** Nous sommes nombreux à posséder une « petite voix intérieure » impitoyable, qui sape notre confiance en nous, minimise nos réussites et se moque de nos erreurs. Chaque fois que vous vous admonestez, pensez à deux de vos qualités.

Personnifiez cette voix intérieure (142). Pour atténuer le pouvoir de cette petite voix prompte à la critique destructrice, représentez-vous-la comme un personnage, par exemple un serpent persifleur ou un affreux petit lutin. Donnez-lui une voix et un air aussi ridicules que possible, afin de saper son ascendant sur vous.

143 **Déclarez une trêve à vos pensées négatives**. Dès que l'une d'entre elles vous assaille, imaginez qu'il s'agit d'un ennemi qui se rend. Acceptez sa reddition, puis renvoyez-la en prenant soin de ne pas la critiquer d'avoir existé.

144 **Déplacez des montagnes.** La foi est notre plus grande force, pour surmonter les obstacles. Ayez la foi, en vous-même et en vos capacités, et vous trouverez la force d'accomplir des miracles.

145 **Soyez le gardien de votre cœur**. Ouvrez la porte à ceux qui viennent dans une intention pacifique ou amicale. Fermez l'accès à tout ce qui pourrait déranger votre paix intérieure. Laissez-en sortir les gestes de bonté et d'attention mais fermez la porte lorsque vous sentez que des pulsions « nocives » risquent de s'en échapper.

146 **Réfléchissez à l'expression « il faudrait... ».** Lorsque vous commencez vos phrases par ces mots, vous cédez aux pressions qui visent à influencer votre comportement. Réfléchissez et prenez conscience de ces subtiles pressions : voulez-vous leur laisser prendre de l'ascendant sur ce que vous faites ? Lorsque vous appliquez l'expression à d'autres, demandez-vous si vous n'êtes pas en train d'essayer de prendre subtilement le contrôle sur eux. Trouvez une autre façon de vous exprimer avant que ces mots n'arrivent à vos lèvres. **Bannissez l'expression « Il faut que » de votre vocabulaire (147)** car ces mots impliquent une capitulation de votre libre arbitre. Remplacez-les par « Je choisis de... ». Vous avez toujours le choix, aussi difficile soit-il. Notez combien ce changement subtil d'attitude se répercute sur votre perception de ce que vous *choisissez* de faire.

148 **Imaginez un havre de paix**, une pièce dans votre maison qui serait consacrée à la paix intérieure. Pensez à la façon dont vous voudriez la décorer. Quelle couleur choisiriez-vous pour donner une impression de quiétude ? Quels objets y mettriez-vous ? Où les placeriez-vous ? Enfin, remplissez votre chambre de vibrations pacifiques. Rendez-vous y, mentalement, chaque fois que vous avez besoin de vous ménager une petite pause.

De la même façon, **imaginez-vous une pièce consacrée au bonheur (149)**. Posez-vous les mêmes questions que ci-dessus. Rendez-vous dans cette pièce pour y reprendre des forces, en pensant à toutes vos sources de bonheur.

150 **Retirez-vous dans votre loge**. Les acteurs savent bien où ils peuvent se retirer, pour se détendre et se ressourcer. Lorsque vous vous trouvez dans une situation difficile, imaginez que vous êtes un comédien Lorsque le stress devient insupportable, isolez-vous dans votre loge : après tout, c'est l'un de vos privilèges d'acteur. Dans cet espace mental, au calme, faites le vide dans votre esprit, ne pensez plus à rien. Une fois que vous aurez retrouvé votre calme, retournez sur le « plateau » et reprenez vos tâches.

151 **Lisez une histoire à un enfant**. Laissez-le choisir : légende de l'Antiquité, histoire d'animaux ou récit d'aventures, vous serez transporté, en bonne compagnie, dans un autre monde, loin des soucis du quotidien. Toutes les traces qui pourraient subsister de vos émotions négatives disparaîtront bientôt, emportées par le plaisir innocent de l'enfant.

152 **Le vaisseau de la paix.** Imaginez : vous prenez une journée de congé. Vous voilà sur le quai d'un port, prêt à embarquer sur le vaisseau de la paix, qui est en train d'accoster. Une fois à bord, voyez comment vos compagnons de voyage vous sourient, respirez l'atmosphère de quiétude qui se dégage de tous les lieux du navire. Un coup de sifflet retentit, le bateau largue les amarres. Visualisez les paysages, incitant au calme, que vous rencontrez sur votre route.

153 **Visualisez une scène calme, dans la nature**, comme une vue sur un lac entouré de montagnes majestueuses, un bouquet de cocotiers s'agitant sous la brise tropicale ou n'importe quel autre paysage. Jouissez de la sensation de paix qui se dégage de la scène que vous aurez choisie. Choisissez un objet, dans ce paysage, et chaque fois que vous êtes inquiet, pensez à cet objet. Il vous fera penser à votre scène de tranquillité et apaisera vos inquiétudes.

154 **Le pays de la relaxation** est bien différent de chez vous. Imaginez-vous en train d'y arriver. Quelle est la première chose que vous voyez, lorsque vous descendez de l'avion, puis que vous traversez la capitale pour rejoindre votre hôtel ? Comment font les habitants de ce pays pour être aussi détendus dans tout ce qu'ils entreprennent ? Quelles habitudes ou attitudes pouvez-vous adopter ? Imaginez-vous en train de rentrer chez vous : ramenez quelques « souvenirs » de ce pays merveilleux.

155 **Embarquez-vous pour une île tropicale**, pour y méditer. Observez-vous en train de ramer mentalement vers votre île. Faites un compte à rebours à partir de vingt, en comptant à chaque fois que vous tirez sur vos rames. Sentez votre respiration s'apaiser, à chaque coup de rame. Lorsque vous arrivez à zéro, vous êtes sur la plage. Installez-vous sur le sable chaud et commencez à méditer.

156 Prévoyez un voyage vers une destination exotique. Vous n'avez pas besoin d'y aller vraiment. En faisant mentalement le voyage vers un pays inconnu, vous échappez à votre routine quotidienne et votre esprit peut ainsi dépasser les petits tracas de la vie de tous les jours. Visualisez votre voyage. Quels sont les sites à visiter, les bonnes adresses ?

Immergez-vous dans une culture différente (157). Par exemple, lisez un ouvrage sur les mariages au Japon ou sur les coutumes des chamans d'Amérique du Nord.

158 À l'aide d'une carte, calculez la distance maximale que vous pouvez mettre entre vous et tout autre être humain, en une journée, une matinée ou un après-midi. Allez seul dans le lieu que vous aurez choisi. Profitez du privilège d'être en votre propre compagnie. Jouissez de cette distance entre vous-même et vos sources de stress. Reconstituez vos réserves de force intérieure. Sinon, vous pouvez aussi **imaginer l'endroit où vous aimeriez aller (159).**

STRESS EN VOYAGE

160 Faites une copie de vos documents. Avant de partir en voyage, laissez toujours chez vos amis ou dans votre famille une photocopie de votre passeport, de vos billets, de votre police d'assurance et de vos chèques de voyage. Cette précaution est précieuse en cas de perte ou de vol de vos documents personnels.

161 Allez vous coucher à l'heure locale lorsque vous arrivez à destination. Dans les voyages au long cours, il est fréquent de traverser plusieurs fuseaux horaires dans un court laps de temps. Ce changement, associé à l'inconfort des sièges dans les avions et à la sécheresse de l'air en cabine peut entraîner, à l'arrivée, quelques symptômes liés au décalage horaire. Notamment, vous pouvez vous sentir extrêmement fatigué et avoir du mal à vous concentrer. En vous adaptant le plus vite possible aux horaires locaux, vous viendrez plus facilement à bout de ces symptômes. Pour minimiser les effets du décalage horaire, **exposez-vous le plus possible au soleil (162)**, dès votre arrivée, pour modifier vos rythmes biologiques ; **mangez léger et équilibré (163)** avant et pendant le voyage, afin de solliciter

le moins possible votre système digestif ; **buvez beaucoup d'eau (164) et évitez le thé, le café, l'alcool et les boissons gazeuses contenant de la caféine (165)** (en raison de leur effet diurétique), avant et pendant le vol, afin d'éviter la déshydratation ; enfin, **levez-vous de temps en temps et marchez un peu (166)** dans l'avion.

167 **Dégourdissez-vous les jambes**, afin d'éviter la thrombose veineuse profonde, un caillot de sang qui apparaît au niveau d'une veine. La position assise prolongée, dans un long voyage en avion, ralentit la circulation du sang et peut entraîner l'apparition de cette pathologie. Chaque demi-heure, faites quelques exercices de rotation et de flexion des chevilles ; contractez les muscles de vos jambes, une vingtaine de fois. Chaque heure, levez-vous et marchez un peu.

168 **Chassez l'ennui en refusant de vous y soumettre**. Au contraire, considérez le temps à votre disposition comme un luxe et une occasion sans pareille de faire travailler votre imagination.

169 **Soyez un héros du temps**. Si votre vol, par exemple, a du retard, pensez que l'attente est une mise au défi de votre force intérieure, que vous pouvez toutefois vaincre sans difficulté. Sentez votre carrure s'accroître à mesure que le temps passe. Profitez aussi de la qualité du temps qui passe : voyez-vous sous l'aspect d'un héros du temps, qui célèbre sa conquête de l'ennui.

170 Ménagez-vous une pause avant de prendre le volant. Avant d'attacher votre ceinture, de mettre votre clé dans le contact et de régler votre rétroviseur, pensez à ceux que vous aimez. Faites-vous la promesse, ainsi qu'à votre famille et aux autres personnes que vous aimez, de conduire prudemment et calmement.

171 Détendez vos mains tout en conduisant : vous pouvez tenir le volant d'une main légère, sans pour cela perdre le contrôle de la voiture. Si vous êtes agrippé au volant, cela dénote peut-être une tension ou une frustration, par exemple à cause de la circulation ou des autres automobilistes. Dans ce cas, cette tension peut aussi être présente dans d'autres parties de votre corps.

Effectuez des rotations des poignets (172) lorsque vous êtes bloqué dans un embouteillage. Lâchez le volant d'une main et effectuez quelques cercles, de la main, dans les deux directions. Faites de même avec l'autre main.

Lorsque vous êtes arrêté aux feux rouges, **bougez les épaules (173)** : déplacez-les de haut en bas et de l'avant vers l'arrière, puis effectuez quelques mouvements de rotation pour relâcher la tension à la base de la nuque. Recommencez dix fois cet exercice. Tout en conduisant, **baissez le menton (174)**. Les yeux fixés droit devant vous, sur la route, rentrez votre menton dans votre cou, tout en pressant la nuque sur l'appui-tête. Vous réduirez ainsi les tensions dans le cou et éviterez de vous avachir sur votre siège.

175 Changez d'attitude vis-à-vis des autres automobilistes. Êtes-vous impatient, serrez-vous la voiture qui vous précède pour l'inciter à aller plus vite ? Si c'est le cas, inspirez profondément et concentrez-vous sur le but ultime de votre voyage : il s'agit, en fin de compte, d'arriver à destination sans mettre votre vie, ni celle des autres, en danger.

Pour vous aider à rester calme, **roulez moins vite (176)** : placez-vous dans la file de droite et laissez-vous porter par le flot des voitures. En même temps, **écoutez une cassette de relaxation (177)**, qui vous aidera à vous concentrer sur vous-même, ou du **cool jazz (178)** pour vous détendre.

XI
X
I

Positiver

179 Confectionnez-vous un abécédaire du changement. A comme *a*ttention : celle que vous devez prêter aux choses à changer ; B comme *b*ut à atteindre, C comme *c*royance en vous-même et D comme *d*iscipline : celle qui vous sera nécessaire pour obtenir des résultats.

180 Rappelez-vous que vous avez le choix. Nous avons souvent tendance à l'oublier. Nous pouvons choisir l'orientation de notre existence, de nos pensées, voire des sentiments que nous suscitons chez autrui. En prenant conscience de ce que nous faisons et des raisons que nous avons d'agir, nous avons la liberté de faire des choix différents et de vivre autre chose.

181 Considérez la vie comme un voyage, pas comme une destination. Sinon, vous serez toujours préoccupé de l'avenir et pris au piège de l'anxiété liée au temps qui passe. En revanche, en envisageant la vie comme un voyage et en restant ouvert au présent, vous apprécierez les délices et les enseignements tirés de chacune de vos expériences.

182 Jouissez du moment présent. La vie réelle a lieu au présent, le passé et l'avenir sont une invention de l'esprit. Jouissez du moment présent, des sensations qui nourrissent vos sens et des courants d'énergie qui circulent dans votre corps.

183 Créez-vous une image positive de vous-même. Imaginez la personne la plus positive qui ait jamais existé. Fabriquez un personnage complet, en lui prêtant certaines mimiques, une tenue vestimentaire, des sentiments. Puis, habitez ce personnage. Voyez

la vie à travers ses yeux. Dites-vous que ces yeux et cette vie, ce sont les vôtres.

184 **Après la pluie, le beau temps**. Derrière l'adversité se cache toujours une lueur d'espoir, un côté positif, un avantage caché. Considérez ces points positifs comme un rayon de lumière perçant les ténèbres de votre cœur : vous renforcerez votre croyance en vous-même et dans vos capacités à aller de l'avant.

185 **Interdisez-vous de prononcer des phrases négatives** comme « Je ne peux pas » faire ceci ou cela. Elles ont tendance à se réaliser du fait que vous les prononcez.

De la même façon, **rayez de votre vocabulaire des expressions d'atermoiement, comme « Je commence demain » (186)** ou **de passivité comme « Qu'est-ce qu'on fait ? » (187)**. Les mots reflètent notre façon de penser. Si nous sommes capables d'en prendre conscience et d'en choisir d'autres, nous pourrons aussi changer ce que nous pensons et, à terme, la façon dont nous agissons.

188 **Constituez-vous une liste de cent affirmations** (voir n° 51) pour mieux gérer les difficultés. Notez chaque phrase dans un carnet d'adresses, à la lettre correspondante. Ainsi, la phrase « Je suis doué, enthousiaste et motivé » figurera à la rubrique « Entretien d'embauche » et « À mesure que je vieillis, je gagne en sagesse et en beauté » à la rubrique « Anniversaires ».

189 **Faites « comme si »**. Nous sommes très influençables. Faites comme si vous étiez serein, heureux ou détendu : vous finirez par le devenir.

190 **L'erreur n'existe pas**, mais uniquement des occasions d'apprendre, de grandir et de changer.

191 **Allumez la lumière**. Il est courant de se sentir déprimé sans savoir pourquoi. Nous appelons alors silencieusement à l'aide, sans nous douter que nous pourrions nous venir nous-même en aide. Si cela vous arrive, imaginez-vous dans une pièce obscure. Cette pièce, c'est votre vie et les ténèbres reflètent votre état d'esprit. Tendez le bras vers l'interrupteur et allumez la lumière. D'un seul coup, la pièce se peuple de raisons d'être heureux. Notez ou dessinez ce que vous voyez. Transportez ces notes partout avec vous.

Vous pouvez aussi emporter avec vous des **symboles (192)** représentant vos raisons d'être heureux : photographie d'une personne aimée, dans un portefeuille ou un pendentif, ou fleur à la boutonnière rappelant la beauté de la nature.

193 Appréciez les bienfaits de l'année précédente. Même si les résolutions du Nouvel An sont l'occasion d'améliorer sa vie, elles partent aussi des erreurs du passé. Pour prendre un vrai bon départ dans la nouvelle année, il faut reconnaître la valeur de celle qui vient de s'écouler. Réfléchissez à ce que vous avez vécu de plus difficile l'année précédente et à la tournure positive des événements, dans l'année qui commence : pensez aux enseignements tirés, aux personnes rencontrées, à votre force intérieure.

CES CHANGEMENTS QUI FONT LA DIFFÉRENCE

194 **Alignez vos valeurs sur vos objectifs**. Tout écart entre ces deux éléments suscitera des tensions ou de l'apathie. Des valeurs très nobles alliées à une absence totale d'objectif réduiront votre motivation à zéro. En revanche, aucune valeur et des objectifs ambitieux seront une source d'insatisfaction permanente. Demandez-vous ce qui compte le plus : vos valeurs ou vos objectifs ? Adaptez ces éléments l'un à l'autre afin d'éviter la dysharmonie.

195 **Laissez de la place aux « petits » problèmes**. Réfléchissez aux questions qui vous tracassent le plus : lesquelles ont pris trop d'importance dans votre vie ? Maintenant, songez à ce que vous négligez. En prenant conscience de ces déséquilibres, vous arriverez certainement à réorienter vos efforts.

Recommencez le processus au moyen d'**images mentales (196)**, afin d'élargir votre état de conscience. Au premier plan de votre paysage intérieur, visualisez un objet représentant la question qui envahit actuellement votre vie ; à l'arrière-plan, visualisez un objet correspondant à ce que vous avez négligé. Essayez mentalement d'inverser votre point de vue.

197 **Entourez-vous d'images positives**. Les informations et les images que l'on nous montre dégagent souvent une énergie négative. Avec le temps, cette énergie perturbe, parfois subtilement, notre perception des choses et nos sentiments. Entourez-vous d'images célébrant la vie ou qui vous inspirent. Par exemple, remplissez votre maison de fleurs, allez vous promener dans un parc ou dans la nature, ou plantez un arbre dans votre jardin.

De la même façon, **remplissez vos oreilles de sons positifs (198)** : écoutez le chant des oiseaux, de la musique gaie, installez une fontaine dans votre jardin. Lorsque cela est possible, **filtrez autant que possible les stimuli négatifs (199)**.

Dépoussiérez et rangez votre lieu de vie et de travail ; en promenade, ramassez quelques papiers qui traînent par terre ; refusez d'écouter des propos malveillants ; sélectionnez rigoureusement ce que vous regardez et que vous entendez dans les médias, en essayant de vous exposer le moins possible aux images de guerre et de violence.

200 Portez un chapeau exotique ou original, original pour vous, cela s'entend ! Aussi original soit-il à vos yeux, il y a fort à parier que les autres, au lieu de vous critiquer et de vous juger, vous admireront. Vos proches – famille, compagnon, amis – pourraient, certes, vous taquiner, mais ils s'adapteront rapidement à ce nouveau look, plus aventureux. C'est un bon moyen de prouver que rien, chez vous, n'est immuable.

Sinon, enfilez une paire de **chaussures (201)** ou des **lunettes de soleil (202)** aux couleurs vives.

203 Votez pour vous, chaque matin, comme si vous étiez à la tête du Parti du Bonheur. Imaginez ce que vous promettriez dans votre discours d'investiture. Peaufinez tous les jours votre allocution. Imaginez-vous en train de la prononcer.

204 **Notez votre humeur du jour** dans votre journal, en utilisant un code de couleur, par exemple. Si vous êtes sujet à de fortes fluctuations d'humeur, notez ces dernières heure par heure ou chaque matin, après-midi et soir. Les informations ainsi glanées vous permettront de reproduire les événements positifs et d'éviter les facteurs de stress, jusqu'à ce que vous ayez la force de les affronter.

205 **Faites souvent ce que vous savez bien faire**. Si cela vous passionne, cela renforcera votre estime de soi.

206 **Essayez quelque chose de nouveau** au moins une fois par mois : lire un classique de la littérature enfantine, vous inscrire dans un cours de tango ou apprendre à conduire une moto. En vivant des expériences inhabituelles, vous élargissez votre horizon mental et physique.

207 **Reconnaissez que vous ne savez pas**. Dans le monde d'aujourd'hui, il faut toujours avoir réponse à tout et une opinion sur tout. Nous prenons ainsi douloureusement conscience de nos lacunes, qu'il s'agisse de politique, d'économie, d'histoire, d'art ou de n'importe quel autre domaine de connaissances. Pourquoi se sentir coupable parce que l'on ne connaît pas la réponse ? Refusez de faire partie de ces experts « instantanés » sur des questions d'intérêt général. Personne ne peut tout savoir. Acceptez vos lacunes.

208 **Reconnaissez que vous avez tort** lorsque vous savez, au fond, que c'est le cas. Cela vous libérera instantanément de la tension créée par l'illusion que vous entreteniez.

209 **Renoncez à terminer un livre** s'il ne vous plaît pas. Vous n'avez aucune obligation vis-à-vis de son auteur !

210 Éliminez vos tics de langage, comme de dire tout le temps « Tu sais ». Faites un effort pour vous exprimer de façon plus précise, vous communiquerez ainsi plus efficacement et découvrirez une nouvelle raison d'être fier de vous.

211 Renoncez à une dépendance. Arrêtez la cigarette, le sucre ou l'alcool. Non seulement votre santé va-t-elle s'améliorer, mais cette libération vous réconciliera avec vous-même.

Débarrassez-vous de vos mauvaises habitudes (212), comme le manque de ponctualité, par exemple. Lorsque vous êtes en retard, demandez-vous ce que vous avez eu de plus important à faire, qui vous a empêché d'être à l'heure. Peut-être avez-vous fait passer votre confort avant votre engage-

ment. Gardez-vous, toutefois, de vous juger. Contentez-vous de prendre acte de vos motivations cachées. Une fois que vous en aurez conscience, vous pourrez faire des choix plus éclairés.

213 Trouvez-vous un « gri-gri », un objet lisse, comme un bouton, une pièce de monnaie ou un caillou. Emportez-le partout avec vous et caressez-le entre vos doigts, pour trouver la force de tenir les promesses faites à vous-même. Les gris-gris **donnés par d'autres (214)** sont encore plus efficaces !

LE TEMPS ET L'ARGENT

215 Faites abdiquer le Temps tout-puissant. Une cause très répandue d'anxiété est liée à la lutte permanente contre l'avancée irrémédiable du temps. Le week-end ou en congé, accordez-vous du répit en retirant votre montre.

216 Considérez le temps comme une commodité et non comme un obstacle. Le temps est tout simplement le moyen qu'a trouvé la nature d'empêcher que tout arrive en même temps. Considérez-le comme un robot : la plupart du temps, il restera à l'arrière-plan, n'intervenant que lorsqu'on le demande, comme, par exemple, pour retrouver un(e) ami(e) au restaurant.

217 Faites-en moins, vivez-en plus. Dans notre monde au rythme trépidant, il faut faire toujours plus de choses en toujours moins de temps. Il nous reste donc peu de temps pour apprécier ce que nous faisons, pour jouir de la sensation

d'exister. Réservez-vous du temps pour vous. Pour cela, vous devrez peut-être réduire le nombre de vos engagements. En ayant moins de choses à faire, vous aurez plus de temps pour réfléchir à ce que vous vivez et pour l'apprécier.

Envisagez une réduction de votre temps de travail (218). Cette initiative plus radicale s'adresse aux personnes ayant des revenus confortables, mais peu de temps personnel. Pourquoi ne pas travailler moins, en renonçant à une partie de son salaire ? Pour cela, il faudra peut-être changer de carrière ou accepter de reculer dans l'échelle sociale. Cette solution mérite toutefois d'être examinée à fond : beaucoup de personnes l'ayant adoptée l'ont trouvée très enrichissante.

219 **Payez vos factures à temps** : vous ferez plaisir à vos créanciers et éviterez les pénalités de retard. Placez une grande enveloppe dans un endroit accessible : déposez-y les factures, à mesure qu'elles arrivent. Traitez le contenu de cette enveloppe un jour donné dans la semaine, jusqu'à ce que cette habitude soit solidement ancrée.

220 É-co-no-mi-sez. Demandez-vous comment faire des économies. Si vous devez réduire votre train de vie, dites-vous que certaines dépenses sont de petits caprices dont vous pouvez vous passer.

221 Pratiquez la « journée sans dépenses ». En vous organisant un peu à l'avance, c'est tout à fait possible, y compris un jour de travail (emportez un sandwich).

222 Faites attention à l'argent. Demandez-vous ce que l'argent signifie, pour vous. Concentrez-vous sur son aspect pratique plutôt que symbolique. Ne laissez pas se créer un lien entre argent et estime de soi. Votre vraie valeur réside dans votre personne, pas dans votre porte-monnaie. Même si l'argent vient à manquer, il est en votre pouvoir de vous épanouir en tant que personne.

223 Gardez la monnaie de votre pièce. À mesure que votre portefeuille se remplit de petite monnaie, transvasez les pièces dans un pot de confiture. Vous finirez par accumuler une coquette somme. Échangez vos pièces contre des billets et dépensez cet argent en vous faisant plaisir ou donnez-le à une œuvre caritative.

224 **Faites des projets**. Sur une feuille de papier, écrivez les dix choses que vous aimeriez faire, dans votre vie, qu'il s'agisse de lieux à visiter ou d'événements devant se produire. Cochez-les à mesure que vous les accomplissez. Vous éprouverez un sentiment de plénitude à chaque fois que vous aurez l'impression que votre destin s'accomplit.

225 **Faites un « instantané » de vos objectifs.** La raison pour laquelle nous manquons d'objectifs concrets est que nous avons du mal à nous en faire une image précise. Imaginez que votre cerveau soit équipé d'un appareil photo. Créez des images mentales détaillées des objectifs que vous vous êtes fixés dans votre vie professionnelle, familiale, affective, intérieure. Mémorisez-les ensuite très précisément dans votre esprit, à la façon d'un appareil photographique.

Faites de vraies photographies (226) des choses qui symbolisent vos objectifs. Affichez ensuite ces photographies dans votre chambre, votre bureau ou votre cuisine : vous y trouverez les raisons de persévérer.

227 **Regardez plus loin** que les obstacles rencontrés. Ces obstacles sont peut-être imaginaires ; s'ils sont réels, toutefois, vous n'irez pas bien loin en les laissant envahir votre champ de vision.

228 **Rédigez-vous un « ordre de mission »**, sur une page de votre journal, si possible au début de l'année. En deux ou trois phrases, cette déclaration énonce aussi précisément que possible vos principaux objectifs pour l'année. En définissant clairement vos objectifs, vous pourrez orienter et concentrer plus facilement vos énergies. Tous les deux ou trois mois vous pouvez **réviser (229)** ces objectifs, pour refléter l'évolution de vos pensées. Rédigez **une garantie (230)** spécifiant la façon de vous pensez agir pour réaliser ces objectifs.

231 **Fabriquez un « collage de motivation »**. Dans des vieux magazines, découpez des phrases, des mots et des images représentant vos objectifs et vos aspirations. Collez-les sur une feuille cartonnée, que vous afficherez ensuite dans votre cuisine, afin d'y puiser la force de poursuivre vos efforts.

232 Planifiez votre stratégie en vue du changement. Bien que le changement se révèle souvent attirant et stimulant, car il nous permet d'élargir nos horizons, il peut également susciter la peur et l'inquiétude, en nous forçant à renoncer à certaines habitudes de confort. En planifiant le changement, vous le mettrez plus facilement en œuvre. Vous parviendrez ainsi à vous concentrer sur des mesures – réalistes – à prendre pour atteindre vos objectifs. Vos objectifs seront beaucoup plus faciles à atteindre, mais surtout, grâce à cette stratégie, vous disposerez d'une structure mentale qui vous stabilisera lorsque vous vous lancerez dans l'inconnu.

233 Avancez à petits pas. Souvent, le meilleur moyen de progresser en vue d'atteindre un objectif consiste à faire un petit pas par jour en direction de ses rêves. Ainsi, si vous souhaitez partir en voyage, vous pouvez par exemple commencer par consacrer l'heure du déjeuner à rechercher des informations sur Internet ; ensuite, vous commanderez une brochure par courriel et, enfin, vous téléphonerez à quelqu'un qui peut vous aider.

234 Trouvez un modèle à imiter. Trouvez une personne ayant atteint les objectifs auxquels vous aspirez. Observez les étapes qu'elle a suivies et les stratégies qu'elle a adoptées pour parvenir à sa situation actuelle. Téléphonez ou écrivez-lui pour lui demander conseil. S'il s'agit d'une personnalité publique, procurez-vous des entretiens ou des biographies.

235 Continuez à apprendre, sur vous-même, sur les autres, sur le monde dans son ensemble. En apprenant, nous restons flexibles et ouverts, capables d'affronter ce qui nous arrive et de faire les changements que nous souhaitons.

236 Apprenez une nouvelle compétence. Qu'elle soit différente ou complémentaire de vos autres activités, elle élargira votre potentiel et vous sera bénéfique, dans tous les aspects de votre vie.

237 **Parlez de ce que vous faites**, pas de ce que vous *essayez* de faire. Essayer est une façon de se réserver la possibilité d'échouer. En vous disant que vous faites déjà quelque chose (sans vous contenter d'essayer), vous contribuerez à réaliser l'espoir de la réussite.

238 **N'essayez pas d'accomplir des miracles**, ne faites pas non plus tout systématiquement rater. Vous pouvez changer d'attitude, mais uniquement par petites touches. Si vous êtes extraverti, essayez d'écouter davantage les autres ou de moins vous faire mousser, mais ne cherchez pas à tout prix à devenir introverti.

239 Dans le cas inverse, **essayez d'être plus ouvert avec les autres**, mais ne cherchez pas à vous transformer en extraverti. La solution consiste plutôt à identifier vos atouts et à les exploiter.

Le mental et l'esprit

MÉDITATIONS ET VISUALISATIONS

240 Améliorez votre posture de méditation. Pour bien méditer, il faut être bien assis. La position traditionnelle de méditation est celle du lotus (jambes croisées, pieds posés sur les cuisses opposées).

Une position plus facile (241) est le demi-lotus, avec un seul pied sur la cuisse opposée. Vous pouvez aussi vous asseoir en tailleur. Si vous avez mal aux genoux, placez un coussin sous vos fesses.

Sinon, **asseyez-vous sur une chaise (242)** jambes décroisées, sans vous appuyer sur le dossier.

243 Méditez régulièrement, au moins une fois par semaine, de préférence dans la journée. Bien que le moment idéal soit le matin (voir n° 15 et 16), vous pouvez méditer n'importe quand et partout. Pour

en prendre l'habitude, choisissez un moment calme qui s'intègre à votre emploi du temps, et où vous pouvez vous isoler.

244 Trouvez votre inspiration dans les nuages. Un maître zen a dit : « Le ciel n'empêche pas les nuages d'avancer. » Laissez vos pensées glisser comme des nuages à la surface de votre esprit, sans essayer de les retenir ni de les chasser.

245 Méditez avec une bougie. Allumez une bougie. Fixez la flamme jusqu'à ce que vous ne voyiez rien d'autre que de la lumière entourée d'obscurité. Baissez vos paupières. Des colonnes de lumière dorée semblent s'échapper de la flamme. Imaginez qu'il s'agit des étincelles de l'esprit, du souffle de vie au cœur de votre être (voir consignes de sécurité n° 492).

246 Méditez le cœur léger. Si vous êtes trop tendu ou inquiet pour vous laisser aller, pensez à quelque chose de drôle, avant de commencer : l'humour libère.

247 **Méditez sur un mandala.** Ce motif concentrique représentant le cosmos (ci-dessus), sert de support à la méditation dans le bouddhisme et l'hindouisme. En se concentrant sur ces motifs, on a l'impression de ne faire plus qu'un avec l'univers. Observez le centre du dessin, puis éloignez-vous en petit à petit, en vous imprégnant des motifs. Laissez l'harmonie du mandala pénétrer au plus profond de votre être.

248 Méditez sur le yin et le yang. La symétrie de ce signe taoïste (ci-dessous) symbolise l'interaction dynamique entre deux opposés complémentaires. Méditez sur une relation conflictuelle à partir de cette idée.

249 Méditez sur vos mains. Serrez les poings, jointures des doigts vers vous, en imaginant que vous tenez un stylo entre le pouce et l'index. Relâchez la tension : le stylo tombe. Retournez la main jointures vers le bas et prenez le stylo imaginaire. Relâchez : le stylo reste dans votre main. On ne « perd » pas forcément quelque chose en lâchant prise. Une main ouverte représente la détente et un poing fermé la tension et le stress. Dans votre méditation, pouvez-vous ouvrir votre esprit comme votre main ? Observez les changements. Sentez-vous que vous vous détendez ? Que vous lâchez prise sur certaines idées toutes faites ?

250 Méditez sur le cadran de votre montre. Laissez-vous envahir par l'image du cadran. Au bout d'un moment, l'aiguille des minutes semblera s'être arrêtée. Vous venez de pénétrer dans un monde libéré des contraintes de l'espace et du temps : vous devriez connaître un état de relaxation suprême.

251 Méditez sur une feuille d'arbre. Commencez par observer toute la feuille, sans chercher à analyser ce que vous voyez. Imprégnez-vous des formes, des lignes et des couleurs de cette feuille, qui existe désormais devant vos yeux et dans votre esprit.

Faites de même avec **une fleur (252)**, si possible odorante et sur sa tige. Concentrez-vous sur la forme, la couleur et la texture des pétales. Fermez les yeux et imprégnez-vous ainsi de son essence.

Les pétales des **fleurs de la famille des composées (253),** comme le gerbera ou le chrysanthème, sont disposés de façon concentrique, comme des mandalas offerts par la nature.

En fait, tout motif, naturel ou artificiel, peut servir de base à votre méditation : **plat décoratif (254), tissu (255), voire « lignes » de la main (256)**.

257 **Méditez sur un paradoxe**. Le philosophe grec Empédocle a écrit : « Dieu est un cercle dont le centre est partout et la circonférence nulle part. » De telles énigmes font appel à des vérités plus profondes que les mots. Pour en appréhender le sens, nous devons les laisser « flotter » dans notre esprit, sans leur chercher d'explication rationnelle.

Faites de même avec des **koans (258)** (paradoxes tirés de la tradition zen).

259 **La méditation de la nef vide** vous fera prendre conscience du lien entre forme et espace. Observez une tasse de thé vide. Sa forme et l'espace qu'elle occupe sont fondamentales dans sa fonction, qui est de contenir un liquide. En imaginant que vous tenez cette tasse de thé, méditez sur ces deux aspects.

260 Méditez sur le dragon chinois. Emblème impérial, le dragon, en Chine, est un symbole de puissance, associant force, persévérance, courage et excellence. Pour surmonter les obstacles, ressourcez-vous auprès de votre « dragon intérieur ».

261 Réfléchissez à la dualité. Prenez une pièce de monnaie et observez d'abord le côté face. Comme si votre regard pouvait traverser le portrait qui y est représenté, imaginez l'autre côté de la pièce. Retournez-la et faites de même. Une pièce de monnaie symbolise la dualité, les multiples facettes de la réalité.

262 Méditez sur les extrêmophiles. Les extrêmophiles sont des formes de vie capables de survivre dans des conditions climatiques extrêmes, au cœur d'un volcan, par exemple. De même, l'esprit humain est indestructible. Identifiez votre invincibilité : elle est présente dans chaque recoin de votre royaume intérieur.

263 Allez jusqu'au bout de votre méditation. Creusez patiemment les différentes couches de votre psychisme, jusqu'à atteindre le « cœur » de votre conscience. Visualisez votre concentration comme un foret se frayant un chemin entre les couches d'expériences accumulées, de souvenirs, de perceptions, de croyances, jusqu'à ce que vous arriviez à l'amour, à la paix et à la joie purs, au cœur de votre être.

264 Répétez un mantra. Un mantra est un mot ou un son répété inlassablement afin d'aider l'esprit à se concentrer sur la méditation. Le mantra le plus connu est « Om ». Selon les croyances hindoues, c'est le son primordial, à l'origine de la création de l'univers. Cette syllabe est censée placer celui qui la psalmodie en harmonie avec les énergies du cosmos. Lorsque vous la chantez, faites « mmm » pendant environ quatre secondes.

Vous pouvez aussi répéter un **autre mot (265)**, « calme », par exemple, en insistant sur le « mmm ».

266 **Liquéfiez votre corps**. Allongé confortablement sur le dos, imaginez que votre corps se liquéfie : contractez, puis relâchez chaque partie du corps. Commencez par les orteils, puis remontez vers la tête. Finissez par le cerveau : concentrez-vous profondément, puis laissez vos pensées se liquéfier et s'écouler loin de vous.

267 **Imaginez des petites boules de lumière** dans une boîte. Sortez mentalement les boules de la boîte et placez-les sur vos points de tension corporels. Imaginez que cette lumière se propage, vous apportant détente et apaisement.

268 **Imaginez un lotus flottant sur un étang**. De la lumière s'échappe de son cœur, jaillit à travers ses pétales et vous inonde.

Le lotus symbolise l'esprit. Sentez la profonde paix intérieure qu'amène ce rayonnement spirituel.

269 **Prenez congé de vos sens**. Pour cette méditation, vous devez vous concentrer sur le cœur de votre être, tout en restant conscient de l'expérience sensuelle à sa périphérie. Installez-vous en posture de méditation, fermez les yeux. Vérifiez que votre vue, ouïe, toucher, odorat et goût fonctionnent, puis « prenez congé » de chacun d'entre eux, à tour de rôle. Déplacez la part de l'attention qui leur était consacrée à votre esprit, au cœur de votre être. Restez dans cet état de liberté spirituelle aussi longtemps que vous le pouvez.

270 **Visualisez votre étoile**, un point lumineux au centre de votre front, juste au-dessus de vos yeux. Selon certaines traditions orientales, il s'agit du « troisième œil », du siège de l'intuition. Sentez votre étoile irradier de l'énergie. Laissez-la vous guider lorsque vous avez besoin de force ou d'inspiration.

271 **Visualisez le parcours du soleil**, dans la journée. Faible lueur de l'aube, éclat de midi, puis somptueux coucher de soleil. Cette métaphore de la vie humaine nous rappelle la beauté et la valeur de la vie, mais aussi de l'éternel recommencement.

272 **Imaginez un portail doré**, lorsque vous avez besoin de reprendre des forces ou de vous sentir protégé. Voyez-le dans tous ses détails. Accès au palais de l'empereur de Chine, entrée secrète à un beau jardin sauvage, laissez votre humeur guider votre choix. Absorbez cette image et laissez-la influencer subtilement votre inconscient.

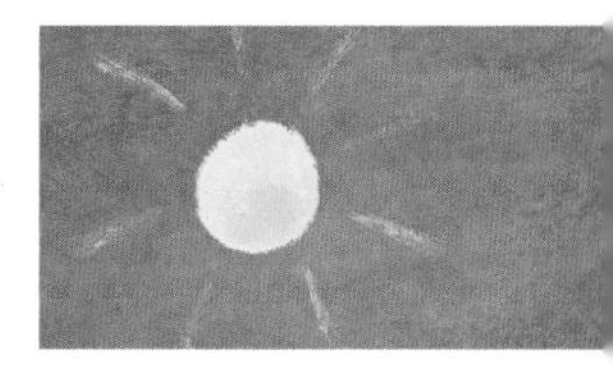

Vous pouvez enrichir cette image de couleurs ou de symboles précis. Laissez-vous guider par votre imagination.

Ainsi, **de vastes étendues d'herbe verte (273)** évoquent l'équilibre et l'harmonie. Vous pouvez peupler ce paysage intérieur avec ceux que vous aimez. Sinon, entourez-vous d'arbres et d'animaux.

Une **coupe contenant des oranges (274)** évoque l'énergie et le rayonnement. Concentrez-vous non seulement sur les fruits, mais aussi sur les motifs de la coupe et l'endroit où elle se trouve.

Une poignée de **terre rouge sombre (275)** est associée à la stabilité et à la continuité. Réfléchissez à l'origine de cette terre : vient-elle d'un endroit ayant une influence particulière sur vous ?

Une **rose rouge (276)** symbolise l'amour absolu. Un **lac bleu et profond (277)** évoque la sérénité. Il est entouré d'une plaine, de collines, d'un paysage montagneux ? Quels animaux y trouve-t-on ? Un **ciel bleu (278)** correspond à la liberté et à l'expansion. Les nuages sont-ils petits, blancs et rebondis ou s'agit-il de gros nuages noirs annonciateurs de pluie ? Les images que nous nous créons sont aussi les plus suggestives : utilisez-les comme autant de points de départ dans l'élaboration de votre propre collection de symboles.

279 Imaginez-vous en train de plonger dans la mer. Au moment où vous plongez dans l'eau, celle-ci se transforme en lumière. Vous glissez, en apesanteur, baigné dans un halo de lumière. Vous vous arrêtez un instant, entouré d'une grande clarté. Prenez conscience de votre énorme pouvoir et imprégnez-vous en : il vous donnera tout ce dont vous aurez besoin.

280 **Imaginez-vous comme une algue**, enracinée au fond de la mer et se balançant dans le courant. Laissez-vous porter, en parfaite symbiose avec votre environnement.

281 **Imaginez que vous êtes un arbre**, que vous vous développez et grandissez, quelles que soient les conditions climatiques : vos cicatrices, vos branches noueuses témoignent de vos luttes dans l'existence. C'est dans ces imperfections apparentes que réside la véritable beauté, ce qui fait de vous un être unique et vous confère votre force.

282 **Imaginez que** vous êtes debout et que **le vent vous traverse**. Dans ses sifflements, imaginez qu'il déroule et emmène au loin le fil de toutes vos pensées et émotions négatives.

283 Devenez le ciel. Visualisez le ciel bleu et immense, au-dessus de votre tête. Prenez conscience du fait qu'il est infini, qu'il n'a pas de limites, qu'il embrasse le monde. Considérez que notre esprit, donc notre être tout entier, est lui aussi sans limites. En vous laissant envahir par ce ciel, vivez pleinement cette absence de limites du corps et de l'esprit, cette richesse, ce calme infinis. N'essayez pas de saisir cet infini, mais détendez-vous et acceptez ce ciel à l'intérieur et à l'extérieur de votre conscience, infinie elle aussi.

284 Visualisez un lever de soleil sur un lac de montagne. Les premiers rayons du soleil caressent votre visage, au-dessus de l'eau encore sombre du lac. C'est votre aube spirituelle. Les rayons du soleil vous ont accordé les deux plus précieux bienfaits : la lumière de la vérité et de la conscience, et la chaleur de l'amour et de la compassion. Laissez le soleil baiser votre cœur et votre esprit. Sentez sa chaleur pénétrer au plus profond de votre être.

285 Jouez dans un théâtre vide. Imaginez que vous entrez dans une salle de théâtre au moment où le public s'en va et que la scène se vide. Montez sur scène et asseyez-vous sur une chaise, face aux sièges vides. Le silence est absolu. Votre esprit se vide, comme la scène. Votre cœur se tait, comme la salle. Vous êtes en paix avec vous-même.

286 Trouvez la tour de la sagesse. Imaginez que vous arrivez dans un village reculé de l'Himalaya. Le centre du village est une tour carrée dédiée à un ancien moine bouddhiste. Sur ses quatre façades, la tour est décorée sur les thèmes de la paix, de l'amour, de la vérité et du bonheur. Marchez lentement autour de la tour et arrêtez-vous pour méditer successivement devant chacune de ces façades. Imprégnez-vous des messages profonds et rassurants de chacune d'entre elles.

287 Lancez une bouteille à la mer. Parfois, nous nous sentons comme des naufragés solitaires, échoués sur l'île déserte de notre tristesse. Imaginez-vous alors en train d'écrire vos soucis sur une feuille de papier. Enroulez mentalement la feuille et insérez-la dans

une bouteille. Jetez ensuite la bouteille à la mer, bien loin, jusqu'à ce qu'elle disparaisse à l'horizon. Imaginez que quelqu'un trouve votre bouteille et lit votre message. Vous n'êtes plus seul.

288 **Transformez l'eau en lumière**. Installez-vous tranquillement dans votre espace de méditation, les yeux fermés, en ayant seulement conscience de votre respiration. Un personnage mystérieux s'approche de vous, transportant une cruche pleine d'eau. Il en prélève dans le creux de sa main et la répand sur votre tête. Lorsque l'eau atteint votre tête, elle se transforme en lumière qui vous baigne dans la paix et l'énergie renouvelées.

289 Débarrassez-vous de vos déchets par voie aérienne. Imaginez un ballet d'hélicoptères au-dessus de votre tête. Le premier laisse descendre une corde, à laquelle vous attachez une boîte contenant toutes vos pensées négatives. L'hélicoptère remonte la corde et s'en va. Le second hélicoptère vous débarrasse de vos soucis et le troisième de vos émotions superflues. Une demi-heure et dix hélicoptères plus tard, vous voilà beaucoup allégé, car débarrassé de toutes ces pensées encombrantes.

290 Mettez en place une pratique spirituelle. Toute activité qui vous aide à vous recentrer, qui vous fait prendre conscience du lien profond qui vous relie au monde, peut être le fondement d'une pratique spirituelle. Il peut s'agir de yoga, de méditation, de za zen ou de bouddhisme, ou encore d'une randonnée en montagne ou de la cérémonie du thé (voir n° 408 et 448). Cette activité vous aidera à ne faire plus qu'un avec ce que vous entreprenez. Pratiquez-la aussi régulièrement que possible, elle vous donnera un point d'ancrage dans la vie.

291 Écoutez l'enseignement de maîtres spirituels, comme le Bouddha ou saint Augustin. Étudiez leur vie et leurs enseignements, suivez leurs préceptes dans les petites choses, qui n'en deviendront que plus importantes. Demandez-vous s'ils approuveraient ce que vous faites.

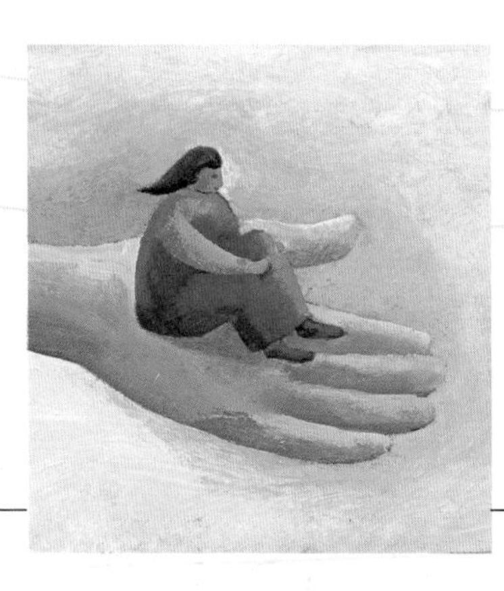

292 Faites preuve d'humilité. Comme le disait Henry Thoreau, « Comme l'obscurité, l'humilité révèle les lumières divines ».

293 Laissez-vous bercer par la main de la destinée. Imaginez-vous dans une chambre à l'éclairage tamisé, aux murs tapissés de tissus aux couleurs douces. Au milieu de cette pièce se trouve une main géante, paume tournée vers le ciel. Pelotonnez-vous dans cette paume douce et rembourrée comme un oreiller géant.

294 Faites la rencontre de votre ange. Fermez les yeux et imaginez-vous à l'orée d'une sombre forêt. Empruntez le chemin qui s'y enfonce. Vous arrivez dans une clairière où se dresse un temple. Une lumière blanche et vive s'échappe de l'entrée. En pénétrant dans le temple, vous remarquez qu'en fait, cette lumière est celle d'un ange magnifique, d'un être de lumière. L'ange vous prend dans ses bras. Vous réalisez alors qu'il sait et comprend tout de vous et de votre vie. Il est votre compagnon de route et sera toujours là pour vous offrir son amour et son soutien inconditionnels. Chaque fois que vous vous sentez seul ou abandonné, retournez vers ce lieu sacré en vous-même : votre ange vous y attend.

295 Faites appel à votre guide spirituel. Qu'il s'agisse d'une personne incarnant la sagesse intérieure à laquelle vous aspirez ou d'un être céleste omniscient, apparenté à un ange gardien, votre guide spirituel peut vous aider lorsque vous êtes confronté à une situation ou à une question difficile. Réfléchissez à la question, notez-la par écrit ou posez-la à haute voix. Vous recevrez une réponse dans un rêve, une conversation ou un livre que l'on vous conseille ou que vous ressentez l'envie de lire. Prêtez attention à tous les indices.

296 Suivez la voie du tao. Ce mot chinois signifie « la voie », « la route ». Le taoïsme repose sur le principe selon lequel la vie est une mutation perpétuelle. Les problèmes surgissent lorsque nous essayons d'y résister ou de les contrôler. L'harmonie peut être rétablie grâce au « tao », c'est-à-dire en trouvant sa voie, en acceptant le caractère mutable de l'existence sans le juger ni lui offrir une quelconque résistance.

297 **Considérez la mort comme un cadeau** et vous ne vivrez plus dans la crainte de cette dernière. Comme l'a dit la poétesse américaine Emily Dickinson, « la mort est comme une nuit sauvage et un nouveau chemin ». La vie éternelle serait incroyablement ennuyeuse.

Vous pouvez aussi penser à la mort comme à un **retour à la maison (298)**, c'est-à-dire comme le lieu où le fleuve se jette dans la mer, où l'âme s'unit de nouveau à sa source.

299 **Visitez un cimetière**. Le calme et le silence qui émanent d'un cimetière en font un lieu idéal pour la réflexion. Lisez les épitaphes. Éprouvez cette sensation de ne faire qu'un avec les étapes éternelles de la vie.

300 **Fabriquez-vous un autel personnel**, de préférence dans votre chambre ou dans une pièce réservée à cet usage. Recouvrez une table basse ou une boîte en carton d'une nappe et décorez-la d'objets symbolisant vos sources d'inspiration et de force : photographies de famille et d'amis, fleurs et cailloux pour évoquer la nature, etc. Méditez ou priez devant cet autel. Sentez son énergie positive jaillir sur vous.

301 **Achetez une statuette** ou une icône représentant les valeurs auxquelles vous croyez et posez-la en bonne place. Il peut s'agir d'une figure religieuse, comme le Bouddha, dont la vérité (le *dharma*) est censée parler à tous, quel que soit leur rang ou leur classe, et qui nous invite à suivre la voie vers l'illumination et la suppression des souffrances. La déesse Shiva ou les Immortels (*xians*) du taoïsme sont d'autres possibilités.

Sinon, mettez en évidence un **objet naturel impérissable (302)**, comme un coquillage ou une pomme de pin, symbolisant votre amour pour le monde.

303 **Découvrez la force de la prière**. La prière est bénéfique, que l'on aie ou non des croyances religieuses. Elle sert à exprimer nos espoirs et nos rêves, mais aussi à reconnaître les bienfaits qui nous sont accordés. Une prière permet de réaffirmer l'orientation que nous donnons à notre vie, mais aussi d'en appeler aux forces dont nous avons besoin pour poursuivre notre route. Donnez à votre prière la forme que vous choisirez. Adressez-la à votre « moi » supérieur, à l'univers ou à une divinité.

304 **Jetez une pièce dans un puits** et faites un vœu, pour un ami, voire un ennemi. Un cœur généreux est aussi plus heureux.

305 **Fabriquez-vous un « arbre à souhaits »**. Cette tradition celtique consiste à nouer des bandelettes de tissu coloré aux branches d'un arbre et à faire un vœu. Déchirez des bandelettes dans un vieux morceau de tissu et accrochez-les à un arbre. Faites un vœu ou fixez-vous un objectif pour chaque bandelette nouée. Ce rituel permet de se libérer du poids du passé et de se projeter dans l'avenir.

306 **Envoyez vos vœux par ballon**. Notez un vœu sur un petit morceau de papier que vous attachez à un ballon gonflé à l'hélium. Lâchez le ballon. Regardez-le s'éloigner, puis se réduire à un point dans le ciel : il transporte votre vœu dans l'éther. Un tel acte vous encouragera à œuvrer pour réaliser ce désir et, peut-être incitera-t-il le destin à vous tendre la main.

Vos pensées créant la réalité, vous pouvez obtenir le même résultat en réalisant cette opération **de façon imaginaire (307)**, sous réserve de visualiser chaque étape dans le détail.

308 **Éliminez vos craintes en les faisant brûler**. Notez-les sur une feuille de papier et faites brûler cette dernière dans un feu ou à la flamme d'une bougie. Prononcez en même temps l'affirmation suivante : « Je maîtrise cette crainte. Je la bannis pour toujours. »

309 **Renouez avec les éléments**. Lorsque vous êtes distrait ou agité, retrouvez la perspective naturelle des choses grâce aux éléments : marchez pieds nus, à l'extérieur ; faites couler du sable ou des cailloux entre vos doigts ; allumez des bougies ; baignez-vous dans un lac ; faites-vous porter par un grand vent.

Sinon, pratiquez une **méditation sur les éléments (310)**. Selon la tradition orientale, l'univers physique est composé de cinq éléments : terre, eau, feu, air et éther. Méditez sur les qualités uniques de chacun d'entre eux et terminez par une prière rendant grâce aux pompiers, aux marins, aux pilotes et aux mineurs, qui se battent avec les quatre principaux éléments, pour notre bien-être.

311 **Couchez-vous sur le sol et regardez le ciel**. C'est sous cet angle que l'on saisit le mieux toute l'immensité du ciel, qui forme un arc au-dessus de nous et nous porte. Nous prenons profondément conscience de notre lien intrinsèque avec le cosmos, mais aussi du rôle modeste, mais fondamental, que nous jouons dans l'ordre naturel.

Regardez les nuages (312). À quoi vous font penser leurs formes ? Voyez-vous des personnes ou des objets familiers ? Échappez-vous un moment de votre routine pour vivre au milieu des nuages.

313 **Observez un avion en plein vol**. Au lieu de le considérer comme une source de pollution, réfléchissez au miracle du vol. Évoquez mentalement la destination de l'avion. Imaginez les passagers et souhaitez-leur bon voyage.

314 **Un double arc-en-ciel** est un phénomène exceptionnel. Il vous rappelle que votre vie est unique et bénie par le ciel. Réjouissez-vous du spectacle et prenez conscience de votre chance.

Le plus extraordinaire phénomène naturel est sans aucun doute **l'aurore boréale (315)**, qui, dans les contrées nordiques, se manifeste par un drapé scintillant qui vous fera frémir de bonheur. L'équivalent, dans l'hémisphère Sud, s'appelle aurore australe ou « lumières du Sud ».

316 **Écoutez la pluie**. Le crépitement des gouttes de pluie rebondissant sur un toit ou dans une cour intérieure agit parfois comme une berceuse. Dans la journée, ce bruit en atténue d'autres, moins agréables. La nuit, on a plus de plaisir à se pelotonner sous la couette en entendant tomber la pluie.

317 **Marchez sous la pluie**, sans parapluie s'il fait doux. Sentez les gouttes frapper votre corps et s'écouler sur votre peau. Jouissez de cette intimité avec les éléments : elle nous rappelle notre lien à la nature.

318 **Embrassez un arbre**. Dans de nombreuses cultures, les arbres possèdent des vertus curatives et sont censés chasser les énergies négatives, sans que celles-ci se transmettent à

l'arbre. Choisissez un **chêne (319)**, pour la chance et la force ; un **frêne (320)** pour la paix et la prospérité ; un **érable (321)** pour la longévité et l'amour et, enfin, un **saule (322)** pour la protection et l'énergie.

323 **Asseyez-vous au pied d'un pin** et méditez sur le fait qu'il est associé, symboliquement, à la sagesse, à la maturité et à la longévité.

324 **Laissez-vous flotter** dans une piscine, un lac ou un océan. Étendez vos bras et vos jambes et renoncez à tout contrôle sur vos mouvements. Laissez-vous flotter, en jouissant de cette légèreté et de cette absence de volonté. Imaginez que tous les rôles que vous avez joués, dans votre vie, et tous vos soucis, s'élèvent au-dessus de vous comme de la vapeur. Vous voilà pure pensée, pur esprit.

325 **Faites confiance au flux de la vie**. Si vous avez l'impression de devoir vous battre pour obtenir quelque chose, sans doute forcez-vous le destin. Lâchez prise et acceptez ce qui arrive. Ce qui vous revient viendra à vous. Les choses se produisent lorsqu'elles doivent avoir lieu.

326 **Acceptez le changement**. Rien n'est immuable. La vraie relaxation provient non pas d'un contrôle sur le flux de la vie, mais du fait que l'on s'autorise à se laisser porter par le flux, sans craindre l'avenir ni regretter le passé.

327 **Méditez sur la migration des oiseaux**, afin de vous réconcilier avec le changement. Chaque année, la migration est un énorme bouleversement et elle n'est pourtant pas vécue comme une perturbation : elle est simplement la manifestation du flux et du reflux des cycles naturels. De même, analysez les changements dans votre vie comme faisant partie d'un ensemble plus large de transformations cycliques et non comme un obstacle sur une voie toute droite.

328 **Observez un moineau âgé de 15 jours**, agrippé à sa branche, avant son baptême de l'air. Sa mère, ailes déployées, l'invite à la suivre. Suivant son instinct naturel, il lâche la branche. Il plonge tout d'abord vers le sol, jusqu'à ce qu'il ouvre ses ailes et trouve en lui la force et l'instinct nécessaires pour voler. Il célèbre alors la victoire par un pépiement tout particulier. Comme lui, lâchez la branche sur laquelle vous êtes posé. Le détachement amène la liberté, qui, à son tour, fait naître le bonheur.

329 **Ne pensez plus aux occasions manquées**. Il y aura toujours, dans votre vie, des occasions ratées, soit parce que vous ne les aurez pas vues, soit parce que vous étiez déjà pris par ailleurs, soit encore parce que vous accordiez plus d'importance à autre

chose. Au lieu de vous en vouloir, souvenez-vous que vous avez pris la décision qui s'imposait, à l'époque. Regardez devant vous et suivez le chemin que vous vous êtes choisi : franchissez les portes qui s'ouvrent devant vous et oubliez celles qui sont fermées.

330 **Ne vivez pas dans le passé**. Le passé est, certes, une source inépuisable de souvenirs et d'enseignements, mais si nous y passons notre temps, nous sommes incapables d'apprécier les bienfaits du présent.

Et surtout, **ne souhaitez pas que le passé ait pu être différent (331)**, car ce serait comme de vouloir que les bonbons poussent sur les arbres. « Appréciez » vos erreurs à leur juste valeur, elles sont riches d'enseignements qui vous aideront à aller de l'avant et à mieux réussir l'avenir.

332 **Prononcez la prière de la sérénité**. « Donne-moi, Seigneur, la sérénité pour accepter les choses que je ne peux changer, le courage de changer tout ce que je peux changer et la sagesse pour savoir discerner. »

333 Soyez léger. Cela ne signifie pas être futile, superficiel ou égoïste. La vraie légèreté est une capacité à « danser » devant la destinée, par opposition à la lenteur, la lourdeur et la solennité. Tentez de cultiver cette légèreté pendant quelque temps, sans en faire trop, toutefois. Laissez cette qualité venir à vous comme les feuilles poussent aux arbres.

334 Contentez-vous d'être bon. Inutile de chercher une occasion de *faire* le bien pour *être* bon ! Tous nos actes commencent par ce que nous sommes. Être bon, c'est aller vers la lumière. Être bon, c'est être positif lorsque les autres choisissent d'être négatifs, être ouvert lorsque les autres se replient sur eux-mêmes, accepter là où les autres résistent. Être bon est une excellente façon de lutter contre le stress !

335 De la mesure en tout. Le monde moderne a sécrété le principe du « toujours plus » : toujours plus de choses à faire, de résultats à obtenir, de biens à accumuler. Ainsi se crée un cercle vicieux de promesses non tenues. Refusez ce dogme et satisfaites-vous de ce que vous avez et qui sera toujours à votre disposition.

336 **Limitez vos sorties** à une ou deux par semaine. Vous les apprécierez d'autant plus. Mettez à profit les soirées passées à la maison pour faire du sport, lire ou mener des activités créatives, mais aussi pour recharger vos batteries – et votre compte en banque !

337 **Considérez que vos possessions ne vous appartiennent pas**. Cela vous aidera à mieux gérer l'inquiétude liée à la perte ou aux dommages.

338 **Écrivez une lettre, à la main**, à l'ancienne. Les mots sont plus directement liés à votre pensée. En outre, vous permettrez à vos yeux de se reposer de l'écran.

Écrivez à vos amis et à votre famille (339). Si vous écrivez à la main, l'échange sera beaucoup plus personnel qu'une lettre dactylographiée ou un e-mail, et votre lettre d'autant plus appréciée par son destinataire.

340 Évitez l'overdose d'informations. Nombre d'entre nous se plongent dans les journaux pour se tenir au courant de ce qui se passe dans le monde. Or, il est difficile, pour le cerveau, de retenir toutes les nouvelles qu'on lui présente. Pour éviter l'overdose, sélectionnez soigneusement ce que vous lisez.

Par ailleurs, **spécialisez-vous (341)** dans deux ou trois domaines précis, dont vous suivrez l'actualité dans le détail.

Enfin, **notez les grands événements de l'actualité (342)** dans votre journal intime. Cela vous aidera à inscrire votre existence dans une perspective plus vaste et à ramener votre propre vécu à de plus justes proportions.

343 Organisez-vous une mini-retraite d'une journée ou d'une demi-journée. Débranchez téléphone, télévision et radio, oubliez votre voiture (sauf si elle doit vous conduire jusqu'à votre lieu de retraite). Méditez et rendez grâce pour les bienfaits qui vous ont été accordés. Appréciez ce temps passé dans la solitude.

344 **Soyez tolérant avec vous-même**. Comme le disait le Bouddha : « Si vous n'avez pas de compassion pour vous-même, votre compassion est incomplète. » Ayez conscience des jugements que vous vous portez et tentez de les éliminer en douceur.

345 **Portez un regard aimant sur vous-même**. Imaginez-vous assis au bord d'un plan d'eau, entouré de palmiers et de rochers. Regardez votre reflet, dans l'eau. Notez le calme de votre expression. Vous êtes frappé par la sérénité de votre regard, par sa

capacité d'amour infinie. Votre réflexion semble être toujours heureuse de vous répondre lorsque vous la regardez. Elle vous admire. Rendez-lui son estime. Donnez de l'amour à votre propre image.

346 Souhaitez-vous de bons vœux. Imaginez-vous en train de vous promener dans une jungle dense, lorsque vous arrivez à un bassin dans lequel se jette une cascade. Mettez-vous sous la cascade en imaginant que les gouttelettes d'eau qui vous rafraîchissent sont les bons vœux des personnes que vous aimez. Prenez la résolution de leur adresser un remerciement silencieux, avec les yeux, la prochaine fois que vous les verrez.

347 Écrivez-vous une lettre d'appréciation positive, comme si vous étiez un étranger impressionné par vos qualités et vos accomplissements. Vous serez peut-être étonné de découvrir la qualité des compliments que vous vous adressez et la conviction que vous mettez dans votre lettre.

348 **Offrez-vous un cadeau, pour votre anniversaire**. C'est vous que l'on doit célébrer, alors faites-vous plaisir, pas forcément avec des biens matériels, mais offrez-vous par exemple un massage ou, tout simplement, une heure de tranquillité.

Sinon, profitez aussi de votre anniversaire pour **essayer quelque chose d'inédit, dont vous avez toujours eu envie (349)**, comme un voyage en montgolfière ou un tour de grande roue dans une fête foraine.

350 **Invitez-vous à dîner** : préparez-vous votre repas préféré. Avant de dîner, décorez la table de fleurs et de bougies et changez-vous : après tout, vous êtes invité.

351 **Imaginez que vous avez été pris en otage**, dans le but d'éliminer toutes les souffrances : vos kidnappeurs s'appellent Vérité, Amour et Humour. En vous regardant droit dans les yeux, la Vérité vous rappelle que la vie est une aventure qui ne doit pas être prise trop au sérieux. Le bras autour de votre épaule, l'Amour vous susurre que vous êtes vraiment exceptionnel. Enfin, l'Humour vous raconte votre blague préférée. Vous riez encore, pour la millième fois. Votre rire retentit dans le monde entier et en efface toutes les souffrances.

352 **Soyez le héros de votre propre film**, dont vous êtes aussi le scénariste, le metteur en scène et l'acteur principal. Il s'intitule *Détendu, heureux et aimé*. Les autres personnages sont les membres de votre famille, vos amis, voisins et collègues. Jouez-vous le film dans votre tête, en pensant à la musique et aux effets spéciaux, si nécessaire. Il s'agit de l'histoire de votre vie, le meilleur film que vous verrez jamais. Rédigez enfin une critique dithyrambique sur ce chef-d'œuvre.

353 **Notez vos réussites personnelles**. Sur une grande feuille de papier, tracez un graphique en deux parties : en haut, les douze mois de l'année ; en bas, des cases correspondant aux différents aspects de votre vie : amour et amitié, travail, créativité, développement personnel, santé, etc. À la fin de chaque mois, décernez-vous une ou plusieurs étoiles, en fonction du degré de réussite dans chacun de ces domaines : achèvement d'un projet, au travail, ou assiduité au cours de danse.

Sur le même modèle, vous pouvez créer un **graphique retraçant vos réussites sur toute la vie (354)**

355 **Appréciez l'âge que vous avez**. Vous ne serez plus jamais aussi jeune ! Appréciez aussi de croître en sagesse et en expérience, qualités qui se marient mal à un visage jeune.

Vous pouvez **rester jeune (356)** en continuant à vous intéresser au monde autour de vous, en restant ouvert à de nouveaux défis et à de nouvelles expériences.

357 **Célébrez l'apparition de chaque ride**, cheveu blanc et autres détails liés au vieillissement. Ce sont des signes de maturité. Arborez-les fièrement, ils symbolisent votre sagesse et votre expérience.

358 **Retrouvez votre pouvoir**. Imaginez que quelqu'un qui vous écrase et vous intimide sonne un jour à votre porte. Il vient vous offrir un cadeau et vous restituer ce qui vous revient. Prenez le cadeau et remerciez-le. Ouvrez le cadeau : il contient une sphère de lumière, que votre cœur absorbe. Vous voilà désormais en possession de votre pouvoir. Pourquoi laisser les autres vous « contaminer » avec leurs énergies alors que vous avez la vôtre ?

359 Ayez le courage de vos opinions, même si vous sentez qu'elles ne vous feront pas que des amis. Il est bon de s'habituer à prendre des risques : cela est essentiel pour grandir et gérer des situations difficiles. En outre, vous aurez vaincu, de la sorte, votre principal ennemie, la crainte !

360 Apportez votre touche personnelle d'authenticité. Saint Augustin a dit : « Assurez-vous que votre vie chante la même chanson que celle qui sort de votre bouche. » Toute disparité entre vos paroles et vos actes suscite inévitablement une tension intérieure. Soyez ouvert et sincère. Faites ce que vous dites et dites ce que vous faites.

361 Ayez de l'estime pour la puissance de la pensée. Réfléchissez à la formidable puissance créatrice de la nature : chenilles se métamorphosant en papillons, nouveaux bourgeons sur un arbre dont on a coupé les branches, etc. Considérez vos idées sous le même angle : vous avez une capacité illimitée pour faire jaillir une idée à partir d'une autre. Vous êtes l'empereur du monde de la pensée.

362 Trouvez une pensée positive sur vous-même, comme « Je suis en paix » ou « Je suis un être aimant ». Puis choisissez un objet, que vous reliez à cette pensée et méditez sur ces deux éléments. Par exemple, vous reliez « Je suis en paix » à une tasse de thé. Imaginez que cette dernière se remplit de paix à l'état de liquide. Elle déborde, vous rappelant que la paix existe en quantité illimitée. Imaginez que vous tendez cette tasse à un ami stressé. Voyez-le boire et vous sourire. Le voilà plus détendu. Comme vous.

363 Imaginez-vous en train de jouer au golf (ou de pratiquer tout autre sport), pour faire naître une image très vivante de votre quête intérieure de la paix. Tout d'abord, imaginez-vous en train de vous diriger vers l'aire de départ. Tapez dans la balle et voyez-la prendre son envol en une courbe parfaite avant d'atterrir à un mètre du trou. Faites un put : observez-la tomber dans le trou. Faites de même pour les dix-huit trous suivants. Après un parcours aussi parfait, vous méritez d'aller vous détendre au club.

Le corps

364 Découvrez les bienfaits du massage. Des études scientifiques ont démontré que les massages constituaient l'un des moyens les plus simples de se maintenir en bonne santé. Du point de vue physiologique, ils améliorent la circulation, détendent les muscles, favorisent la digestion et stimulent le système lymphatique, facilitant donc l'élimination des déchets produits par l'organisme. Sur le plan émotionnel, le massage détend et fait naître un sentiment de chaleur, de sécurité et d'amour.

365 Réchauffez-vous les mains avant de commencer, pour qu'elles soient plus souples et plus sensibles. Frottez vigoureusement le dos de la main gauche avec la paume de la main droite, et vice versa. Frottez ensuite les deux paumes l'une contre l'autre jusqu'à ce qu'elles soient bien chaudes. Enfin, paumes serrées l'une contre l'autre, soulevez vos coudes en les écartant du corps jusqu'à ce que les paumes se « décollent ». Appuyez les extrémités de vos doigts les unes contre les autres et maintenez cette position pendant six secondes, en étirant doigts et poignets.

366 **Entraînez-vous à caresser**. Il s'agit de la technique de base du massage. Concentrez-vous : vos gestes doivent être continus et rythmés. Modifiez la vitesse et la pression de vos caresses : la lenteur est apaisante et la rapidité stimulante. « Moulez » vos mains à la forme du corps que vous massez et pensez à maintenir un contact constant, avec une main, pendant toute la durée du massage.

Entraînez-vous au pétrissage (367). Il s'agit de presser fermement la peau, comme lorsque l'on pétrit de la pâte à pain. Cette technique est idéale pour soulager la tension au niveau des épaules, mais aussi pour les zones charnues du corps comme les hanches et les cuisses.

À la fin d'un massage, procédez à des **tapotages (368)** forts et en profondeur. Vous pouvez soit fermer les mains en poings pas trop serrés et frapper légèrement, en alternant, poignets détendus, soit frapper très légèrement la peau avec la tranche de la main, en alternant les mains.

369 **Utilisez des huiles essentielles**. Versez deux à trois gouttes d'huile essentielle pour une cuillérée à café d'huile végétale (amande, pépins de raisins ou soja). Outre l'effet lubrifiant de cette huile de massage, l'odeur de l'huile essentielle sera bénéfique aux deux partenaires (voir n° 466). La lavande, par exemple, agit sur le stress, les maux de tête, l'insomnie, l'anxiété et la déprime.

370 Absorbez-vous dans le massage. Concentrez-vous sur les sensations de vos mains (si vous êtes le masseur) ou de votre corps (si vous êtes le receveur). Laissez-vous bercer par le rythme des caresses. Le massage se transforme en méditation active, calmante et relaxante pour les deux partenaires.

371 Massez-vous le visage. Le stress nous fait involontairement froncer les sourcils ou serrer les mâchoires. Éliminez ces tensions en massant votre visage avec l'index et le majeur. Commencez par tracer des cercles sur votre front, du milieu vers les tempes. Massez ensuite plus vigoureusement, des pommettes vers l'arête du nez. Enfin, fermez les yeux et posez doucement la base de vos paumes de mains sur vos orbites. Chaque étape doit durer trois minutes.

372 **Pour soulager un mal de tête** ou une migraine, appuyez légèrement, avec vos index, sur les points d'acupuncture situés autour des yeux, au nombre de sept : entre les sourcils, au milieu du front, au milieu des sourcils, à mi-chemin des arcades sourcilières, de chaque côté et sur le bord extérieur de orbites (arcades orbitaires), à côté des tempes. Maintenez la pression environ trois secondes sur chaque point, puis relâchez-la doucement.

373 Relâchez les tensions sur votre cuir chevelu. Saisissez vos cheveux, près du cuir chevelu, et serrez-les plusieurs fois, doucement, dans vos poings. Puis, sans lâcher prise, déplacez vos poings de l'avant vers l'arrière, de façon à faire glisser le cuir chevelu sur le crâne. Répétez sur tout le pourtour de la tête.

374 Soulagez la douleur, à l'arrière de la tête, en appuyant, avec vos doigts, sur les points d'acupression, sur toute la largeur de la base du crâne, là où s'accumulent souvent les tensions. Commencez par la nuque, puis allez vers l'extérieur, en terminant par la zone située derrière les oreilles.

375 Massez vos pieds. Asseyez-vous sur une chaise ou un tabouret, les deux pieds à plat par terre. Placez votre cheville gauche sur votre genou droit. Puis, en saisissant la partie extérieure du pied avec votre main droite, appuyez fermement, à l'aide du pouce, sur la zone située juste sous la plante du pied, vers le milieu. Maintenez la pression sur ce point pendant dix secondes environ, puis détendez-vous. Recommencez sur l'autre pied.

376 **Massez-vous les pieds avec des cailloux**, après une journée difficile. Tapissez le fond d'une bassine d'une couche de cailloux bien ronds (ou de billes). Recouvrez-les d'eau bouillante salée, puis versez quelques gouttes de votre huile essentielle préférée (la menthe poivrée, aux vertus antiseptiques et rafraîchissantes, est idéale). Faites rouler les cailloux avec vos pieds : c'est divin !

377 **Caressez un chat** ou un autre animal à fourrure. Des études ont montré que ce type de contact avait des vertus thérapeutiques et pouvait même abaisser la tension artérielle.

378 **Plongez votre main dans un pot de lentilles** ou de haricots secs. Laissez filer les haricots entre vos doigts. Sentez-vous l'apaisement procuré par le contact avec cette texture ?

379 **Portez une écharpe en cachemire**, en hiver. Certes, la dépense est importante, mais le contact est si doux sur la peau !

380 **Le shiatsu de contact** permet de calmer la respiration courte et inefficace liée au stress. Allongez-vous sur le dos et posez vos paumes de mains, l'une sur l'abdomen et l'autre sur la poitrine. Conservez cette position pendant une minute. Cette posture favorisera la circulation du *chi* (énergie vitale) entre vos poumons et vos reins, « siège » de l'anxiété, et vous aidera à vous détendre en vous permettant de respirer plus profondément.

381 **Prenez conscience de votre respiration**. La façon dont nous respirons reflète notre humeur : anxieux, nous respirons vite. Notre respiration devient plus lente et plus profonde lorsque nous sommes détendus. En travaillant sur la respiration, nous pouvons induire une détente physique et mentale. Allongez-vous sur le dos, yeux fermés, respirez par le nez. Placez une main sur la poitrine et l'autre sur l'abdomen. Concentrez-vous sur vos mains qui se soulèvent et s'abaissent en fonction du rythme et de la profondeur de votre respiration.

Allongez votre respiration (382) si vous sentez vos mains se déplacer rapidement. En inspirant, comptez lentement jusqu'à quatre et en expirant, jusqu'à six. Puis, inspirez en comptant jusqu'à cinq et expirez en comptant jusqu'à sept. Continuez en augmentant progressivement ce nombre, pour arriver jusqu'à sept et neuf, respectivement. Faites dix respirations à ce rythme.

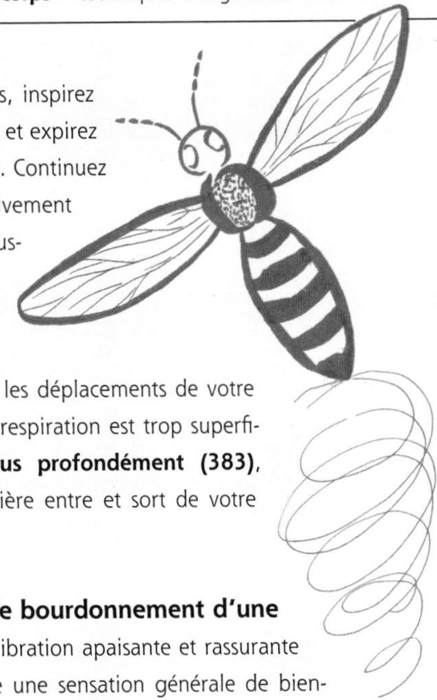

Si vous ne sentez que les déplacements de votre poitrine, c'est que votre respiration est trop superficielle. Pour **respirer plus profondément (383)**, imaginez que de la lumière entre et sort de votre abdomen.

384 **Respirez en imitant le bourdonnement d'une abeille**. Cela crée une vibration apaisante et rassurante dans le corps et procure une sensation générale de bien-être. Installez-vous confortablement et prenez une inspiration profonde et soutenue. En expirant, émettez un léger bourdonnement (« Mmmm... ») en gardant la mâchoire détendue. Recommencez, à chaque expiration : la vibration se propage dans votre tête. Continuez sur huit à douze respirations.

385 **Pratiquez la respiration de la victoire** (*ujjayi*) qui réchauffe le corps et développe la force intérieure et la volonté. Bouche fermée, inspirez et expirez par le nez. Contractez légèrement les muscles de la gorge en expirant et produisez un léger ronronnement, ressemblant à celui de la mer dans un coquillage. Ne forcez pas votre respiration. Recommencez sur douze respirations, puis augmentez progressivement le nombre.

386 Rugissez. Cette technique de yoga constitue un excellent moyen de relâcher la tension. Inspirez profondément, en élargissant votre cage thoracique et en remplissant vos poumons d'air. Ouvrez ensuite très grand la bouche et la gorge et chassez l'air de vos poumons en contractant les muscles de l'estomac et du diaphragme, et en prononçant « AAAAA », le plus fort et le plus longtemps possible. Recommencez trois fois, de plus en plus fort.

387 Étirez-vous comme un chat. Cette posture de yoga élimine les tensions sur la colonne vertébrale, dégage la tête et a un effet calmant. Mettez-vous à quatre pattes sans essayer de creuser ni d'arquer la colonne vertébrale : les épaules doivent être dans l'alignement des mains et les hanches dans celui des genoux. En inspirant, cambrez le dos et soulevez légèrement la poitrine et la tête. En expirant, inversez le mouvement : arquez légèrement le dos et faites basculer votre bassin en rentrant les fesses. Répétez six fois.

388 **Détendez la langue**. Pressez la langue sur le palais, maintenez-la y quelques secondes, puis relâchez. Cet exercice détend aussi la mâchoire, le cou et le visage.

389 **Respirez par les pieds** pour retrouver le contact avec votre environnement immédiat, en cas de stress. Il suffit d'avoir les pieds sur le sol. Imaginez que vous inspirez à travers vos plantes de pieds ; l'air remonte dans vos jambes pour atteindre votre torse. En expirant, imaginez l'inverse.

390 **Relâchez votre bassin**. Accroupi, les pieds légèrement écartés, cherchez à déplacer le poids du corps, tout d'abord en formant un cercle, puis balancez-vous d'avant en arrière. Cet exercice facilite la circulation de l'énergie et relâche les tensions au niveau du bassin.

391 Soulevez les jambes. Dans les postures de yoga tête en bas, le sang afflue vers cette région du corps. En irriguant abondamment le cerveau, ces postures permettent de faire le plein d'énergie. Couchez-vous sur le dos, jambes appuyées à la verticale contre un mur. Nouez vos mains, quelques centimètres au-dessus de votre tête, sur le sol : vos bras forment un losange. Respirez profondément et régulièrement. Maintenez cette position pendant dix minutes. Réalisée avant le coucher, elle facilite l'endormissement.

392 Adoptez la posture de l'enfant, un classique du yoga. Elle se révèle particulièrement relaxante et rassurante, surtout en cas d'émotions difficiles à gérer, comme la peur ou l'anxiété. Mettez-vous à genoux, fesses sur les talons, buste à la verticale et bras le long du corps. En expirant, penchez-vous en avant. Posez la poitrine sur les cuisses et continuez à descendre jusqu'à ce que votre front touche le sol. Laissez glisser vos bras sur le sol, mains vers les pieds. Fermez les yeux et respirez doucement et régulièrement jusqu'à ce que la peur ou l'anxiété s'apaise.

SE SENTIR BIEN, CELA SE VOIT AUSSI DE L'EXTÉRIEUR

393 **Reprenez contact avec la terre**, grâce à la posture de base du yoga. Debout, jambes légèrement écartées, prenez conscience du contact de vos plantes de pieds avec le sol. Portez le poids de votre corps d'avant en arrière de vos pieds. « Tirez » mentalement vos genoux et vos cuisses vers le haut. Serrez doucement les muscles du bas de l'abdomen et relâchez les épaules et les fesses. Laissez pendre les bras le long du corps. Respirez profondément et régulièrement.

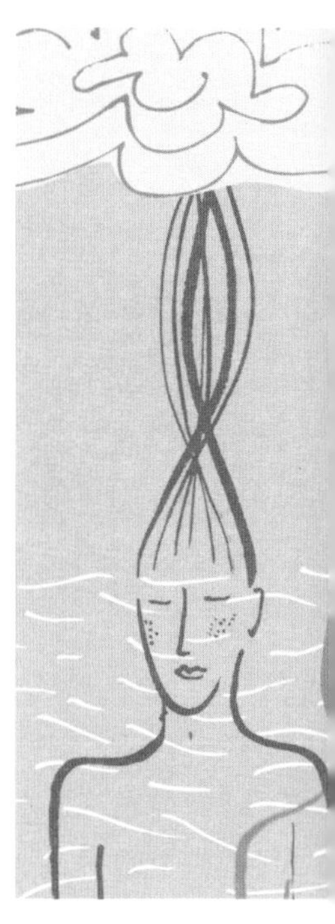

394 **Imaginez un fil d'or** reliant le sommet de votre tête au ciel. Pensez que ce fil vous soulève, dressant votre colonne vertébrale à la verticale, abaissant vos épaules et élargissant votre cage thoracique. Invoquez cette image lorsque vous avez l'impression de vous affaisser.

395 **Paparazzi**. En vaquant à vos occupations, imaginez que des paparazzi ont envahi votre logement et vous prennent en photo. Réfléchissez à ce que ces photographies pourraient dire de vous. Y a-t-il des postures dans lesquelles vous ne voudriez pas que l'on vous voie ? Rectifiez, si nécessaire, la façon dont vous vous tenez assis ou debout : les prochaines photographies ne pourraient-elles pas être plus avantageuses ?

Pour raffiner cette technique, imaginez, **à chaque fois que le téléphone sonne (396)**, que l'on vous prend en photo.

397 **Déplacez-vous lentement**. Notre anxiété se révèle souvent dans des mouvements rapides et saccadés. En ralentissant, nous pouvons parfois nous calmer. Souvenez-vous que la vie n'est pas une course. Certaines de nos expériences les plus marquantes se font dans la durée.

398 **Combattez l'image négative que vous avez de votre corps** en considérant que vous êtes constitué de 1 % de corps et de 99 % d'esprit. Jugez-vous de l'intérieur et non de l'extérieur. Ceux dont l'opinion doit compter

accepteront votre aspect extérieur et vous apprécieront pour vos qualités intérieures. Quoi qu'il en soit, soyez fier de votre apparence, tout comme vous êtes fier de votre maison.
Refusez de vous inquiéter sur des aspects de votre corps que vous ne pouvez pas changer.

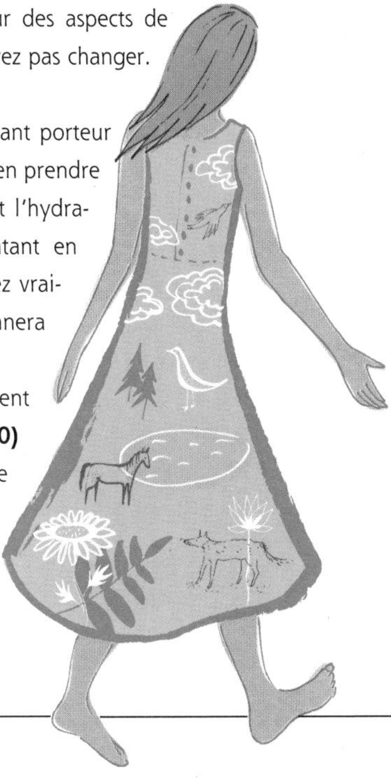

399 **Dorlotez-vous**. Le corps étant porteur de l'esprit, il est important d'en prendre soin, de le laver, le frotter et l'hydrater régulièrement. Vous sentant en meilleure forme, vous le serez vraiment, ce qui vous donnera confiance en vous.

Rafraîchissez régulièrement votre **coupe de cheveux (400)** et offrez-vous des soins de **pédicure (401)**.

BOUGER

402 **Pratiquez la marche rapide**, pendant 20 à 30 minutes, par exemple, en allant au travail, en rentrant à la maison ou pendant la pause-déjeuner (vous devrez vous changer). Alternativement, pratiquez cet exercice dans un grand parc ou à la campagne, pour en ressentir plus pleinement les effets.

403 **Faites un footing**, de préférence dans un parc ou à la campagne plutôt qu'en ville. Laissez-vous porter par le rythme de vos pieds. Prenez le temps d'apprécier votre environnement, sans vous absorber totalement dans vos pensées.

404 **Sautez à la corde** dans votre cour ou votre jardin. Bien qu'il s'agisse d'un exercice de force, la répétition du mouvement et les ondulations de la corde ont un effet apaisant sur le corps. Le saut à la corde aura aussi le mérite de vous replonger dans votre enfance.

405 **Descendez une colline en sautillant**. La vue qui se déroule devant vos yeux et l'impression de bondir dans les airs à chaque nouveau saut rend cet exercice particulièrement vivifiant.

406 **Faites l'ascension d'une montagne**. Cette métaphore de la réussite est, certes, un peu galvaudée, mais mérite d'être citée. Commencez votre ascension en téléphérique. Une fois au sommet, prenez tout votre temps pour contempler la vue. Méditez cinq minutes sur les quatre points cardinaux (en vous tournant successivement vers le nord, le sud, l'est et l'ouest).

Chantez, en grimpant (407). Non seulement vous maintiendrez votre allure, mais vous exprimerez aussi votre joie. Cela crée aussi un lien fort avec les membres de votre groupe de randonneurs.

Si vous en avez envie, pourquoi ne pas envisager un **pèlerinage en montagne (408)**, où chaque pas symbolise votre engagement spirituel. La vue, depuis le sommet, donne aussi un avant-goût des hauteurs que l'on peut atteindre lors de tout voyage spirituel.

409 **Nagez**. De tous les sports, la nage est sans doute celui qui sollicite le moins le corps, « porté » par l'eau. Non seulement vous éviterez les problèmes musculaires et d'articulations, mais l'eau procure une véritable détente. Profitez de l'apesanteur et de cette sensation de force lorsque vous fendez l'eau.

Vous pouvez aussi vous lancer dans la **plongée (410)**, qui vous permettra d'explorer le « monde du silence ».

411 Faites du ski. Ce sport vivifiant permet non seulement de découvrir des paysages grandioses mais aussi de se laisser aller à l'exaltation et au sentiment de liberté que procurent la vitesse et le fait de dépasser sa peur.

Si vous n'aimez pas le ski de piste, pourquoi ne pas essayer le **ski de fond (412)** ? Ce sport d'endurance permet de profiter de merveilleux paysages tout en améliorant sa forme et en suscitant un sentiment de satisfaction intérieure.

413 Faites un tour en vélo. Cette activité très relaxante permet aussi d'explorer des horizons plus lointains qu'à pied ou en jogging, sans trop solliciter le corps. Les berges sinueuses d'une rivière, par exemple, constituent le terrain idéal pour pédaler et offrent aussi, souvent, de beaux paysages.

Si vous aimez une version un peu plus « pimentée » du cyclisme, pourquoi ne pas essayer le **VTT (414)**, pour des promenades en terrain plus accidenté ? Il vous réservera quelques sensations fortes !

415 **Apprenez le hatha yoga**, qui vise à réunir le corps et l'esprit par le travail sur le souffle et les postures physiques. Pratique spirituelle plutôt que sport, le yoga n'est pas axé sur la compétition. Travaillez à votre rythme et sans forcer.

Si vous préférez une activité encore moins « physique », lancez-vous dans le **tai chi (416)**, vieil art martial chinois où l'on travaille les énergies du corps par des mouvements lents et continus.

MANGER ET BOIRE

417 Buvez beaucoup d'eau. Vous devez consommer au moins six verres d'eau filtrée ou en bouteille par jour. Cela vous aidera à éliminer les toxines et à éviter la déshydratation, qui sape l'énergie. Une carence en eau nuit au fonctionnement de l'organisme, entraînant le dessèchement de la peau, des maux de tête et des problèmes de concentration, pour n'en citer que quelques uns.

Si vous optez pour de l'eau en bouteille, **testez les différentes marques (418)** d'abord. Les goûts peuvent varier considérablement, en fonction de la source et du traitement.

419 Mangez des fruits et légumes tous les jours. Ils vous relient à l'énergie du Soleil et de la Terre, vous offrent de précieux nutriments et stimulent le système immunitaire. **Achetez les produits frais au marché ou à la ferme (420)**. La plupart des produits proposés dans les supermarchés sont stockés avant d'être transportés sur de longues distances et d'être mis en rayon. Ils perdent ainsi une partie de leur valeur nutritive. En achetant ces produits au marché ou à la ferme, vous avez la garantie qu'ils sont plus nourrissants et vous aidez les producteurs de votre région.

Mangez « bio » (421). Certes plus onéreux à l'achat, ces produits présentent l'avantage de n'avoir pas été traités aux engrais ni aux pesticides. Ils sont aussi généralement plus riches en nutriments stimulant le système immunitaire, parce qu'ils n'ont pas poussé sur des sols appauvris et qu'il ne s'agit pas de variétés standard.

422 **Consommez des ananas et des papayes**, riches en enzymes facilitant la digestion des protéines (broméline et papaïne).

423 **Parmi les aliments ayant un effet apaisant**, il convient de citer le fromage blanc, les pâtes, l'avocat, la banane et le lait (écrémé). Tous ces aliments sont riches en tryptophane, un acide aminé intervenant dans la fabrication de la sérotonine, une hormone régulant le sommeil et l'humeur.

424 **Réduisez votre consommation d'aliments industriels**, riches en graisses et en sucre, mais pauvres en fibres et en vitamines et sels minéraux. Ces aliments contiennent aussi des additifs et des conservateurs, qui peuvent provoquer des allergies et sont parfois nocifs.

Il convient en particulier d'éviter le **glutamate de sodium (425)**, un additif provoquant des insomnies et de fortes migraines chez certaines personnes (« syndrome du restaurant chinois »).

426 **Stabilisez votre glycémie (niveau de sucre dans le sang)** en faisant cinq à six petits repas par jour. Cela vous aidera à gérer le stress, en soulageant les glandes surrénales (qui fabriquent l'hormone du stress, le cortisol) et en régulant le niveau des hormones du bien-être, la sérotonine et la dopamine.

Pour la même raison, évitez les **stimulants (427)** comme le thé, le café et le tabac, mais aussi les **aliments favorisant la**

dépression (428) comme l'alcool, qui provoque de brusques fluctuations de la glycémie.

Consommez des aliments contenant beaucoup de **fibres et** de **protéines (429)** (qui se transforment plus lentement en sucre) au

lieu de sucres rapides ou de féculents (plus susceptibles de provoquer de brusques variations de la glycémie).

430 **Buvez entre plutôt que pendant les repas** : les liquides réduisent l'absorption des nutriments et peuvent perturber la digestion.

431 **Adaptez votre régime alimentaire à la saison**. En hiver, consommez des aliments qui réchauffent le cœur ; en été, optez pour des repas plus légers, avec beaucoup de fruits et de légumes crus.

432 **Évitez d'associer féculents et protéines dans un même repas**. En effet, les enzymes qui attaquent les protéines fonctionnent dans un environnement acide, contrairement à celles qui décomposent l'amidon.

Si cela est impossible, **faites comme les oiseaux (433)** : mangez les protéines *avant* les féculents.

434 **Préparez un repas pour quelqu'un dans le besoin**. Souvent, ceux qui ont le plus besoin d'un bon repas – malades et handicapés, par exemple – ne peuvent ni cuisiner, ni faire leurs courses. Préparez un repas appétissant pour un ami dans le besoin et portez-le lui. On trouve souvent du plaisir à faire plaisir.

435 **Mangez peu et souvent**. Évitez les repas lourds, plus difficiles à digérer.

436 **Évitez de faire les courses le ventre vide**. Vous achèterez plus de choses que vous n'en avez besoin, ce qui vous incitera à trop manger ou à gaspiller.

437 **Mangez lentement**, en dégustant chaque bouchée. Portez toute votre attention sur la texture et le goût de ce que vous mangez. Appréciez l'ambiance, que vous soyez chez vous ou non. C'est un moment à consacrer à votre corps : respectez votre faim.

Environ dix pour cent de notre énergie quotidienne est consacrée à la digestion, l'absorption et l'assimilation de la nourriture.

Après chaque repas, **réservez-vous un moment de calme (438)** pour laisser ces processus se mettre en place harmonieusement.

439 **Cuisinez avec amour** : la cuisine est un acte créatif et profondément symbolique. En quelque sorte, ce que nous pensons s'intègre à ce que nous cuisinons : veillez à avoir des pensées positives et paisibles pendant que vous cuisinez. Sinon, vous ne faites que préparer le rechargement de combustible.

440 **Démarrez un club de cuisine, avec des amis**. Vous pouvez instaurer un système d'invitations tournantes, une fois par mois. Les repas peuvent aussi comporter des thèmes : dernier pays visité ou idées notées sur des papiers qui sont ensuite tirés au hasard. Cette organisation formelle a l'avantage d'encourager chaque cuisinier à se lancer dans des préparations exotiques et mémorables.

441 **Inventez une recette** avec au moins un ingrédient inédit. Découvrez les nouvelles textures, odeurs et goûts. Selon le résultat obtenu, vous pourrez renouveler l'expérience ou... en rire !

442 **Fabriquez des glaçons colorés**, en congelant de petits morceaux de fruits ou des jus de fruits. Ces « glaçons magiques » transformeront un verre d'eau minérale en boisson estivale qui surprendra vos convives !

443 **Cuisinez votre plat d'enfance préféré**, surtout si vous êtes déprimé. Ce repas fera ressurgir d'agréables souvenirs.

444 **Confectionnez un gâteau**, sans vous précipiter. Profitez du temps de préparation pour réfléchir tranquillement.

Pourquoi ne pas faire son **gâteau préféré (445)** à votre conjoint ou à un ami ? C'est un beau témoignage d'amour ou d'amitié !

446 **Mangez du chocolat**. Le cacao était connu pour ses vertus stimulantes et reconstituantes par les Aztèques, qui en réservaient la consommation aux guerriers, aux prêtres et à la noblesse. On sait aujourd'hui que le cacao est riche en anti-oxydants, qui préviennent le cancer. Le chocolat de bonne qualité contient beaucoup de cacao et peu de sucre : à consommer sans modération !

447 **Faites votre pain**. Défoulez-vous en pétrissant la pâte, puis récoltez les fruits de vos efforts en vous régalant de pain frais et parfumé !

448 **Organisez une cérémonie du thé** et transformez un après-midi ordinaire en rituel propice à la méditation. Préparez votre thé lentement. Sortez votre plus belle vaisselle : vous créerez une atmosphère propice à l'enchantement esthétique. Faites de longues pauses entre chaque geste, notamment lorsque vous buvez.

Soyez conscient de chacun de vos gestes. Vous serez peut-être surpris de constater que cette cérémonie a un effet profondément apaisant. Une fois que vous avez maîtrisé la technique, invitez des amis. Buvez ensemble, en silence.

Essayez différents thés : le **thé vert (449)**, sans théine, a un effet apaisant ; le **thé à la réglisse (450),** en aidant la fonction surrénale, réduit le stress ; enfin, le **thé à la menthe (451)** ou **au gingembre (452)** est bénéfique sur le système digestif.

453 **Pelez une pomme en une seule fois**. Procédez lentement, en déroulant une bande étroite et régulière. En aiguisant ainsi vos sens, vous savourerez encore plus le fruit !

454 **Soyez responsable de votre santé**. Nous avons généralement tendance à considérer que nous « tombons » malades et que nous ne pouvons rien faire pour nous défendre. Cela n'est pas forcément vrai, car nous privons notre corps de sommeil, le nourrissons mal, le polluons avec des cigarettes et de l'alcool, ne lui donnons aucun exercice et sommes ensuite étonnés de constater qu'il nous trahit quand il n'arrive plus à combattre la maladie. Pour améliorer sa santé, il faut modifier un certain nombre d'habitudes.

Tout d'abord, faites régulièrement un **bilan de santé (455)** chez le médecin — traditionnel ou non — afin de prévenir. Cela vous paraît excessif ? Ne faites-vous pas une révision annuelle de votre voiture ?

De même, faites régulièrement **tester votre vue (456)** et votre **dentition (457)**. Le test de la vue est particulièrement important si vous travaillez beaucoup sur ordinateur, qui sollicite beaucoup ce sens. En vous débarrassant des caries et des problèmes de gencives, la visite chez le dentiste vous permettra de conserver une belle dentition.

458 **« Désintoxiquez » votre organisme**, une fois par an, sur quatre semaines. Diminuez le sel, bannissez produits laitiers et céréaliers, évitez la viande et les graisses animales, le thé, le café, le sucre blanc, l'alcool et le tabac. Nourrissez-vous de fruits et de légumes frais, poisson, riz complet, lentilles, haricots, millet, farine de sarrasin, fines herbes et tisanes au gingembre, à la menthe, à la camomille et au fenouil.

Équilibrez vos repas : **mangez bien le matin et à midi (459)**, pour bénéficier d'un apport énergétique suffisant pour la journée. En revanche, votre dîner doit être très léger et pris avant 19 heures.

Buvez aussi beaucoup d'eau filtrée, en bouteille ou gazeuse (460) et allez vous **coucher plus tôt que d'habitude (461)**. La troisième semaine, démarrez un programme de **gymnastique douce (462)**, pratiquée deux fois par jours pendant 45 minutes, pour aider à la désintoxication de l'organisme.

463 **Complétez la diète** par des vitamines C et B, si vous êtes généralement stressé : la vitamine C joue un rôle fondamental dans la production d'hormones antistress, tandis que les vitamines du groupe B, la « vitamine du moral », ont un effet bénéfique sur le système nerveux et le mental.

Outre les vitamines, les magasins spécialisés proposent un certain nombre d'**essences de fleurs (464)** et de **traitements à base de plantes (465)** qui, pris à bon escient, peuvent aider à rétablir l'équilibre et à introduire un peu de sérénité dans votre vie de tous les jours.

Les essences florales du Dr Bach sont un moyen subtil et efficace de redresser toutes sortes de déséquilibres émotifs. Le millepertuis, par exemple, augmente le niveau de sérotonine dans l'organisme ; il s'agit de l'un des antidépresseurs les plus prescrits en Allemagne ; de même, il est établi que le kava-kava diminue le stress en favorisant la clarté mentale et le calme intérieur.

466 Consultez un aromathérapeute. L'aromathérapie utilise les huiles dites « essentielles », extraites de certaines plantes, pour soulager un certain nombre de maux physiologiques et psychologiques, notamment liés au stress. Ces huiles, seules ou en association, peuvent être utilisées en massages, inhalations, compresses, bains et dans des brûle-parfums spéciaux.

Commencez par expérimenter les huiles suivantes, particulièrement bénéfiques en termes de relaxation : la **camomille (467)**, au parfum fruité rappelant la pomme, a un effet apaisant et sur les nerfs et les peaux sensibles ; le **jasmin (468)**, avec son odeur un peu entêtante, est un bon antidépresseur, particulièrement efficace pour le « baby blues ». La **lavande (469)**, au parfum frais, possède des propriétés antiseptiques, analgésiques et calmantes : elle peut être utilisée contre les migraines, l'insomnie et la dépression ; le **petitgrain bigaradier (Citrus aurantium) (470)**, à l'odeur douce, a un effet sédatif, efficace contre l'anxiété et l'insomnie ; l'exotique **ylang-**

ylang (471) possède des vertus antidépressives, sédatives et antiseptiques, et calme l'anxiété. Vous pouvez diluer ces huiles essentielles (et d'autres) dans un flacon, puis les utiliser dans les massages (voir n° 369), ou en verser quelques gouttes dans votre bain (voir n° 694) ou sur votre oreiller, ou encore les diffuser grâce à un brûle-parfums.

472 **Soignez-vous correctement**, lorsque vous êtes malade, même si cela vous oblige à prendre des journées de congé-maladie ou d'annuler des projets. Ne vous reprochez pas de faire éventuellement faux bond aux autres : après tout, vous devez être bien avec vous-même pour être bien avec eux !

473 **Connaissez votre horloge biologique**. Nous sommes tous soumis à des cycles naturels propices à une plus ou moins grande activité, dans la journée. Si vous identifiez ces cycles et que vous y adaptez vos activités, vous profiterez au mieux de votre journée.

474 **Chassez le blues de l'hiver**. Au cœur de l'hiver, il est courant de se sentir fatigué, irritable et déconcentré : tels sont les symptômes de la dépression saisonnière, liée à un déséquilibre hormonal dû à un manque de lumière naturelle. Passez au moins une heure par jour à l'extérieur et éclairez généreusement votre intérieur.

475 **Luttez contre le syndrome prémenstruel** en consommant des aliments riches en œstrogènes : soja, tofu, patates douces, brocoli, chou-fleur et chou de Bruxelles. Vous éviterez plus facilement les maux de têtes, variations brutales d'humeur, tensions douloureuses des seins et autres maux précédant les règles.

Parmi les autres mesures préventives, **diminuez votre consommation de sel (476)** en évitant les biscuits apéritif, les cacahuètes et les charcuteries ; prenez un **complément aux vitamines B (477)** qui facilitera le traitement des œstrogènes par le foie, mais aussi de la **vitamine E, du calcium et du magnésium (478)** pour vous détendre ; enfin, l'**acide gamma-linoléique (AGL) (479)**, que l'on trouve en abondance dans l'huile d'onagre, réduit les tensions douloureuses des seins.

Une maison paisible

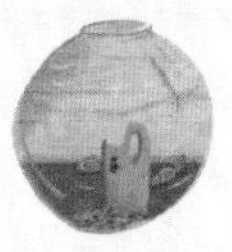

OMBRES, LUMIÈRES ET COULEURS

480 **Mettez des miroirs** chez vous, pour répartir le mieux possible la lumière naturelle, qui favorise la vitalité physique et l'éveil. Son absence entraîne carences en vitamine D, fatigue, irritabilité, voire déprime. Quel meilleur antidote que quelques miroirs habilement placés pour illuminer les coins sombres de votre logement ?

Pour ceux **qui n'aiment pas voir leur reflet** dans le miroir **(481)**, une solution simple consiste à orienter les miroirs judicieusement ou à les accrocher très haut ou très bas.

Une autre solution consiste à placer une **plante en pot devant les miroirs (482)**. On conserve la lumière, mais on évite les reflets indésirables, sans oublier que la plante semble plus volumineuse. Les miroirs à charnière offrent de nombreuses possibilités.

483 **Ménagez un Velux** dans vos combles. Si cette pièce vous sert de bureau ou d'atelier, vous profiterez agréablement de la lumière du jour.

484 **Suivez la trajectoire du soleil** dans les différentes pièces, un jour où il fait beau, et notez les changements de lumière. Votre décoration intérieure devra tirer le meilleur parti de ces changements, dans la journée et en fonction des saisons.

485 **Utilisez du tissu léger**, pour vos rideaux et vos stores, afin de diffuser et adoucir la lumière dans les pièces où cela est nécessaire (salon et salle à manger, par exemple) et pour créer une ambiance de repos et de paix.

Dans les autres pièces (chambres à coucher, par exemple), choisissez des **textiles ou des stores plus épais (486)**, afin de faire l'obscurité complète et de favoriser l'intimité et la détente.

487 **Optez pour un éclairage artificiel**, qui privilégie des sources multiples de lumière, à des hauteurs différentes, dans chaque pièce. L'idéal est, par exemple, un éclairage focalisé pour la table où l'on mange, un autre, directionnel (pour lire) et, enfin, un éclairage d'ambiance.

Faites appel à un professionnel (488). L'installation d'un nouvel éclairage vous paraît peut-être une dépense excessive, parce qu'elle entraînera, outre les travaux proprement dits, une nouvelle décoration intérieure. Toutefois, le jeu en vaut la chandelle : il est important d'accorder son intérieur à ses envies !

Installez des prises variateurs (489).

490 Prévoyez un éclairage directionnel pour souligner les sculptures, tableaux et autres éléments de décoration. Vous donnerez ainsi une touche très personnelle et accueillante à votre salon. Les sculptures en pierre, bois ou dans d'autres matériaux sont mises en valeur par un éclairage en diagonale.

Les tableaux gagnent à être éclairés (491) par une applique au plafond ou par un éclairage au sol. Un beau paysage mis en valeur de cette façon, par exemple, induit une atmosphère subtilement relaxante, notamment lorsque la pièce est peu éclairée.

492 **Les bougies** créent une ambiance très particulière, tout en aidant à la méditation (voir n° 245). Dénichez des bougeoirs originaux et de jolies lanternes, comme les lanternes marocaines.

Vous pouvez aussi acheter des **bougies flottantes (493)** et les placer dans un saladier ou un vase rempli d'eau, pour créer une ambiance subtilement mystique.

(Surtout, ne jamais laisser brûler une bougie sans surveillance et veiller à ce que la flamme ne brûle pas à proximité d'un autre objet, inflammable ou non.)

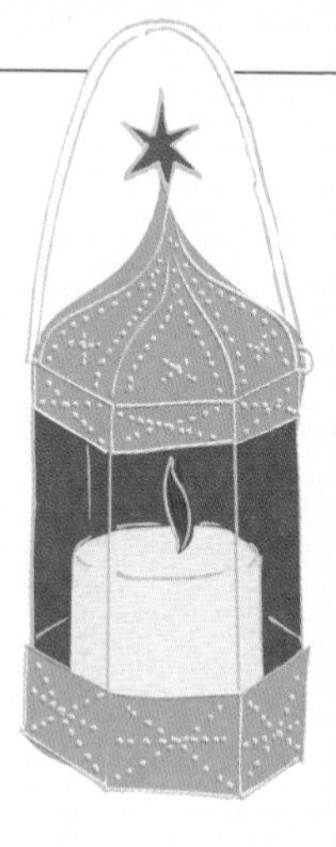

494 **Utilisez bien les couleurs**, en ayant conscience de leur impact sur l'humeur :

Le **rouge (495)** est associé au feu ; une note de rouge dans une pièce peut se substituer au feu dans la cheminée.

L'**orange (496)** est apparenté à la spiritualité et la transcendance ; c'est une couleur idéale pour la méditation.

Le **jaune (497)** figure la lumière du soleil ; c'est la couleur de l'optimisme.

Le **vert (498)**, lié à la nature, instille l'harmonie.

Le **bleu (499)**, couleur du ciel sans nuages, suggère l'ouverture, la liberté et le calme.

L'**indigo (500)**, qui rappelle la profondeur des océans, ajoute du mystère.

Le **violet (501)**, symbole de la vision intérieure, aide à la quête spirituelle.

502 Achetez des housses de coussins de couleurs différentes. Changez de couleur en fonction de votre humeur.

503 Des murs blancs symbolisent la pureté et créent une ambiance monastique et d'ascèse qui favorise la clarté d'esprit.

504 Mélangez judicieusement les couleurs, par exemple en les choisissant dans la même tonalité ou dans des tonalités proches. Des tons neutres, comme les blancs cassés, crème,

chamois ou gris, offrent un fond discret, mettant en valeur des couleurs plus vives : ce choix s'impose pour ceux qui ne sont pas sûrs de leur sens des couleurs.

505 Utilisez les motifs avec modération. Trop de motifs différents heurtent l'œil – et votre équilibre intérieur. Inversement, une **richesse de motifs (506)** peut faire naître un sentiment de calme, lorsque ces derniers sont associés à la nature ou à un mode de vie préindustriel. Nombre de motifs, d'origine orientale (tapis d'Orient), ont un effet relaxant.

Des feuilles ou des fleurs tracées au pochoir (507) sur un mur uni, évoquent un cadre rustique et paisible.

508 Rangez vos affaires ! En triant le contenu de vos armoires, tiroirs et placards et en jetant les objets inutiles accumulés, vous permettrez aux choses utiles – et à vos trésors – de « respirer ». Surtout, sachez que l'ordre doit aussi exister là où il ne se voit pas.

509 Allez à la déchetterie environ deux fois par an pour vous débarrasser des objets qui encombrent votre intérieur et votre vue ! Faites-en une occasion spéciale : profitez-en pour faire un pique-nique à la campagne ou célébrez autrement l'événement.

510 Donnez à une association caritative. Quel meilleur moyen de se débarrasser d'objets dont on ne veut plus tout en étant généreux ? Lavez les vêtements avant de les donner, recousez-les si nécessaire et remplacez les boutons qui manquent : tout cela augmentera la valeur spirituelle de votre don.

511 Recyclez. La quantité de déchets que nous produisons nuit à l'environnement et perturbe notre relation à la nature. Recyclez le papier, les bouteilles, les boîtes de conserve, mais surtout, recyclez votre pensée et construisez une relation responsable avec la Terre.

512 **Rattrapez votre arriéré de corvées** en vous y mettant un matin, juste après le petit-déjeuner. En travaillant bien, vous pourrez vous arrêter en milieu de matinée et avoir alors le sentiment du devoir accompli. À partir de là, tout le temps que vous consacrerez à vous-même sera d'autant plus agréable que vous l'aurez mérité.

513 **Échangez les corvées avec votre partenaire**. Vous réaliserez qu'un œil neuf peut être utile sur les tâches routinières ou encore que vous êtes plus efficace ou que la corvée devient plus agréable.

514 **Lorsqu'un ami vous rend visite, confiez-lui de petites tâches**, plus simples à deux, comme le changement des housses de couette. Cela vous changera de votre partenaire ! De même, **si vous invitez un ami à manger (515)**, pourquoi ne pas lui proposer de venir un peu à l'avance, pour vous aider ? Un véritable ami disposant d'un peu de temps sera ravi de pouvoir vous donner un coup de main tout en bavardant.

516 Faites votre lessive de façon réfléchie : vous transformerez une corvée en méditation. Lorsque les vêtements sont secs, remplissez-vous les poumons de leur odeur de frais, puis pliez-les. Vous devriez vous sentir détendu une fois la tâche accomplie.

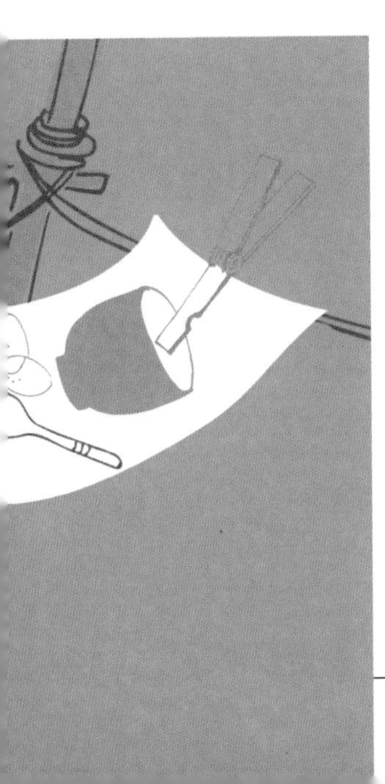

517 Utilisez des pinces à linge pour donner une dimension ludique à votre liste de choses à faire ou lorsque vous ne savez pas par quoi commencer. Écrivez chaque tâche sur une feuille de papier et accrochez ces feuilles à un fil à linge. Détachez une feuille au hasard et commencez par ce qui y est noté. À mesure que vous accomplissez vos tâches, vous verrez le nombre de papiers diminuer, ce qui est extrêmement satisfaisant et motivant.

518 Réparez vous-même vos affaires lorsque c'est possible et, en particulier, raccommodez vos vêtements. Nous jetons facilement et ne supportons pas la moindre imperfection dans nos affaires. Soyez plus détendu et accommodez-vous d'objets qui ne sont certes plus de première main mais rendent encore de nombreux services.

Reprisez vos chaussettes (519). Chaque petit trou, dans une chaussette, peut constituer un motif de satisfaction, si vous acceptez de sortir votre nécessaire de couture. Remplacez les boutons manquants par des boutons identiques et choisissez un fil de même teinte.

520 Apprenez à coudre et lancez-vous dans des réalisations plus audacieuses. Effectuée avec soin et concentration, la couture peut se révéler une activité favorisant la méditation.

Vous trouverez sûrement des pantalons à rapiécer, des poches à changer, des ourlets à faire...

521 Réservez-vous une journée « menus travaux ». Réalisez ces petites tâches ménagères qui vous titillent la conscience. Si vous en abattez ne serait-ce que six en un jour, vous augmenterez considérablement votre estime de vous-même !

522 Faites de menus travaux de peinture. En consacrant quelques heures à repeindre les petites taches et imperfections de votre intérieur, ce dernier n'en sera que plus rutilant, ce qui ne peut que vous remonter le moral.

523 Faites vos vitres. Certes, quelques petites marques sur les vitres ne sont pas dramatiques, mais ce rappel constant de votre négligence peut retentir sur votre tranquillité d'esprit. Astuce : passez le torchon verticalement à l'intérieur, et horizontalement à l'extérieur. Vous saurez ainsi immédiatement de quel côté se trouve la trace oubliée.

524 **Repassez**. La tâche ménagère la plus redoutable, à savoir le repassage, peut se convertir en exercice propice à la détente. Imaginez que les plis que vous lissez sont vos problèmes dans l'existence. Visualisez nettement chacun d'entre eux.

525 **Prenez soin de votre voiture**, elle est trop petite pour être encombrée de déchets. Compte tenu des heures que vous passez au volant, vous vous sentirez mieux dans une voiture propre et bien tenue que dans une sorte d'annexe de votre poubelle ! Faites-la réviser régulièrement et réparez le plus vite possible les petits incidents (comme un rétroviseur cassé, par exemple), sans pour autant que cela vous stresse !

526 **Déplacez vos meubles**. Modifiez la circulation, dans votre logement. Rompez avec vos habitudes. Il ne faut pas forcément beaucoup de temps pour rendre votre intérieur plus accueillant.

527 **Le stockage efficace** des outils, appareils ménagers et autres est tout aussi important. Il est très agréable de trouver ce que l'on cherche dans un placard, au premier coup d'œil. Faites votre possible pour ranger par catégories.

528 **Lisez soigneusement le mode d'emploi** avant de mettre en service un nouvel appareil, en prenant votre temps, devant un café ou un thé. La précipitation a rarement des effets positifs.

529 **Les « voies » de circulation**, comme les couloirs, l'entrée et les escaliers, sont comparables aux méridiens ou « canaux » par lesquels l'énergie circule dans le corps. Dans le premier cas comme dans le second, il faut veiller à ne pas bloquer cette circulation de l'énergie. Évitez donc d'accumuler des objets dans ces parties de la maison et bannissez-en tout meuble trop volumineux.

530 **Évitez d'encombrer le centre des pièces**, afin de donner une impression d'espace et d'énergie. Selon un principe important du *vastu vidya* (ancienne tradition spirituelle indienne sur l'architecture et l'aménagement intérieur), des meubles placés dans le centre – sacré – d'une pièce gênent la circulation de l'énergie (*prana*) dans l'espace.

531 **La forme de la table, dans la salle à manger**, exerce une influence sur l'ambiance de la pièce, selon les principes védiques. Une table carrée ou rectangulaire représente la Terre et nous relie à cette dernière. Un rond ou un ovale, en rappelant l'eau, appelle à une convivialité joviale. Il n'est peut-être pas facile de changer de table, mais sachez ce que chaque forme symbolise !

532 **Placez un coffre dans une alcôve**, à la japonaise. Plusieurs objets précieux y sont conservés, mais un seul est exposé. Renouvelez régulièrement les objets exposés, de façon à ne pas vous ennuyer.

533 **Dormez tête au sud**. Selon la tradition indienne *vastu vidya* (voir n° 530), le corps possède un champ électromagnétique, comme un aimant, la tête correspondant au pôle Nord. L'alignement du « corps-aimant » avec le champ électromagnétique terrestre est censé favoriser le sommeil, puisque les pôles inverses s'attirent.

534 **Améliorez la qualité de l'air** que vous respirez. Selon l'Agence américaine pour l'environnement, la concentration en toxines peut être 200 fois plus importante à l'intérieur qu'à l'extérieur des édifices. Il faut tout d'abord bien ventiler son logement en ouvrant régulièrement les fenêtres. En effet, contrairement à une idée répandue, cela réduit la probabilité des rhinites et des grippes. Surtout, évitez de **surchauffer (535)** votre logement et filtrez l'air grâce à des **plantes vertes (536)**.

S'il fait trop sec, placez des récipients en terre cuite à proximité des radiateurs ou sur ces derniers. Vous pouvez aussi prendre les mesures suivantes.

Réduisez la quantité de produits chimiques que vous utilisez (537). Ainsi, certains vaporisateurs contre les mauvaises odeurs se contentent de masquer ces dernières en tapissant les muqueuses nasales d'une couche de graisse ou en anesthésiant en partie l'odorat. Troquez vos aérosols contre des plantes !

Utilisez des **matériaux naturels (538)** pour votre ameublement et votre décoration.

Bannissez la cigarette (539) de votre intérieur : en revanche, laissez fumer vos visiteurs dans la cour ou le jardin s'ils en ressentent vraiment le besoin.

Utilisez des ioniseurs d'air (540) pour augmenter la concentration d'ions (atomes chargés électriquement) négatifs. En effet, les systèmes de chauffage central et d'autres équipements produisent des ions positifs, provoquant fatigue, léthargie et plus grande fragilité face à la maladie.

541 **Placez des objets naturels dans votre salle de bains**. Coquillages, bois flottés, pierres et éponges naturelles émettent des énergies positives et compensent l'absence de vue, dans de nombreuses salles d'eau.

542 **Sauvez les insectes inoffensifs** pris au piège dans votre intérieur, au lieu de les tuer : après tout, ils n'allaient pas voler votre argenterie ! Respectez la nature, même si elle empiète sur votre territoire.

543 **Des cristaux**, disséminés dans votre intérieur, absorberont les ondes négatives et favoriseront une atmosphère heureuse et harmonieuse. Choisissez des cristaux dépolis. Avant de disposer le

cristal dans votre intérieur, placez-le dehors dans un bol d'eau pendant vingt-quatre heures : cette opération, qui nettoie le cristal et lui permet de se « recharger » en énergie, doit être répétée à peu près chaque mois. Si la fascination pour le cristal provient d'abord de sa beauté, ce matériau illustre aussi la transcendance de l'esprit sur la chair ou, plus concrètement, le potentiel de changement en chacun d'entre nous. Voici quelques exemples des cristaux les plus répandus :

Le **quartz transparent (544)** ou « pierre de roche », nous élève vers un état plus léger et joyeux.

Le **quartz aventurine (545)**, d'une belle couleur verte, élimine l'agitation et purifie les émotions.

Le **quartz rose (546)**, associé à l'amour, libère doucement les blocages affectifs.

La **calcite (547)** chasse la déprime et apporte force et calme intérieurs.

548 **Un prisme de verre** placé sur le rebord d'une fenêtre, crée une lumière changeante agréable à regarder.

Des **bouteilles colorées (549)** remplies d'eau procurent le même effet apaisant.

550 **Fabriquez un autel domestique**, comme dans la Rome antique, où il était généralement consacré aux jumeaux Castor et Pollux. Méditez sur ce qui donne à votre foyer son caractère unique. Ou bien consacrez votre « autel » à un saint ou à un personnage auquel vous êtes attachés. Enfin, vous pouvez choisir des mots comme « bienvenue » et « repos » ou « foyer » et « renouveau ». Associez des images et des objets qui résument le génie du lieu. L'âtre de la cheminée constitue, bien entendu, l'endroit idéal pour cette opération.

551 **Brûlez de l'encens**. Des parfums comme l'encens et le santal favorisent une ambiance positive, mais détendue.

UNE MAISON OÙ L'ON SE SENT BIEN

552 **Baptisez votre logement**. Choisissez un nom qui évoque une image positive, avec une connotation de calme, de force ou d'inspiration. L'aura subtile du nom vous enveloppera lorsque vous entrerez chez vous.

553 **Un symbole de tranquillité**, placé dans votre entrée ou devant votre porte, vous rappellera que vous devez vous détendre en rentrant chez vous. Il pourrait s'agir d'une plaque portant une inscription chinoise ou l'image d'une colombe. Présentez vos respects à cet emblème en passant devant lui.

Un **symbole de longévité (554)** est aussi un bon « point d'entrée » et le choix est important, surtout dans la tradition chinoise. C'est le cas de la grue, censée vivre mille ans selon cette tradition, mais aussi du phénix, qui renaît de ses cendres. La carpe (qui peut aussi être tout simplement un vrai poisson dans un bocal), mais aussi le lièvre, l'éléphant, le cerf, la cigogne, le crapaud, la tortue feront aussi faire l'affaire. La couleur verte et le jade ont la même connotation.

Des **symboles d'abondance (555)**, comme la corne d'abondance ou la grenade, peuvent eux aussi figurer en bonne place.

556 **Souhaitez-vous la bienvenue à vous-même**, en rentrant chez vous (sans oublier d'éventuels invités), en disposant des plantes en pot de chaque côté de votre porte d'entrée.

Prévoyez si possible des **pots d'herbes aromatiques (557)**, pour associer les odeurs à la vue.

Pour la convivialité, disposez des **fleurs coupées (558)** dans un vase. Pour les Chinois, les chrysanthèmes sont particulièrement propices à la détente et apporteront joie et bonne humeur à votre

foyer. Des plantes aux fleurs très parfumées, comme le jasmin ou l'hyacinthe, sont aussi indiquées, dans une entrée : elles en feront le prolongement de votre jardin !

559 **Enfilez des pantoufles**, que vous rangerez dans l'entrée. Vous pouvez même envisager de porter des paires

différentes, en fonction de la pièce où vous vous trouvez, le *nec plus ultra* pour respecter vos sols.

560 Changez régulièrement l'annonce de votre répondeur, pour la rendre plus chaleureuse et accueillante.

561 L'observation de poissons dans un aquarium détend. Choisissez des espèces vivant en bancs. Ainsi, le néon chinois (*Tanichthys albonubes*), le danio (*Brachydanio rerio*) et le *Rasbora heteromarpha* sont un bon choix, pour commencer. Achetez-les par groupes de six individus au moins, de la même espèce.

562 Un paysage, peint ou en photographie, élargit littéralement l'horizon de votre intérieur et lui confère un aspect bucolique et reposant. Vous pouvez notamment envisager :

des scènes de la vie à la campagne (563), moisson ou fenaison ;

des paysages sauvages magnifiques (564) à la façon du peintre romantique allemand Caspar David Friedrich ;

des paysages de neige (565), nous rappelant le confort de notre intérieur ;

des scènes de **l'Antiquité égyptienne (566)**, qui offrent une image de spiritualité exotique, en particulier les pyramides ou le Sphinx.

567 **Installez un vitrail** dans une fenêtre afin de colorer la lumière qui pénètre dans votre intérieur.

568 **Suspendez un petit tapis oriental (kelim)** au mur et méditez sur ses motifs abstraits. Posé par terre, il peut aussi servir de tapis de méditation.

569 **Adoucissez les contours des pièces** par des lignes courbes, qui invitent au repos. Pensez par exemple à une table basse circulaire ou à un papier peint aux motifs circulaires.

570 **Des natures mortes d'objets trouvés**, comme du bois flotté, des cailloux, voire des morceaux de verre, sont agréables à regarder – s'ils sont posés, par exemple, sur une table basse – mais permettent aussi de se remémorer la promenade au cours de laquelle on les a trouvés, ce qui a un effet apaisant. Ces objets relient la pièce au monde naturel. Vous pouvez aussi disposer quelques bûches dans un panier, quelques pierres dans un bol ou des plumes sur un plateau.

Pour évoquer la forêt, disposez des **pommes de pin et des noix, noisettes, etc. (571)** dans un grand saladier. Imaginez une nature morte évoquant la mer ou la montagne.

572 **Faites entrer les saisons dans votre intérieur** au moyen de bougies, de parfums, de plantes et de fleurs correspondant à chaque période de l'année. Au printemps, la fraîcheur et la douceur dominent. L'été évoque la chaleur et la lumière. L'automne est la saison de l'abondance et du crépuscule. Enfin, en hiver, pensez à des couleurs et des odeurs riches et lourdes.

573 **Confectionnez un pot-pourri** à base de feuilles, de plantes et de pétales de fleurs séchés : sauge, pin, bergamote, laurier, romarin, rose, géranium, lavande, citron, verveine et menthe. Mélangez les plantes dans un joli bol, avec des clous de girofle ou de la cannelle, ainsi qu'un peu de racine d'iris concassée pour prolonger la durée de vie du pot-pourri. Remuez ce dernier afin d'en libérer le parfum et donnez-lui une nouvelle jeunesse en l'aspergeant de temps en temps d'huile essentielle.

574 **Rafraîchissez l'atmosphère grâce à un vaporisateur**, dont vous aurez rempli le réservoir d'eau et d'une dizaine de gouttes d'huile essentielle. Vaporisez deux à trois fois dans l'air.

575 **Baissez le volume de la radio**, de façon à entendre sans comprendre : les voix doivent se réduire à un murmure.

576 **Humanisez votre cheminée**. N'en faites pas seulement le centre de la pièce, mais aussi un lieu d'associations chaleureuses. Des **bougies (577)**, même éteintes, lui donneront un air de convivialité traditionnelle.

579 Des **photographies de famille (578)** contribueront aussi à réchauffer l'atmosphère. Dans un grand cadre, regroupez sous vos yeux ceux que vous aimez.

Faites un vrai feu dans votre cheminée. Absorbez-vous totalement dans l'entretien du feu : alimentez-le, déplacez les bûches, etc. Respirez l'odeur du bois. (Achetez du bois garantissant le respect de l'environnement et laissez-le sécher au moins six mois. Évitez le bois vert, qui dégage beaucoup de fumée et encrasse le conduit de cheminée.)

580 **Confectionnez-vous une couverture « personnalisée »**, en patchwork fait de chutes de tissu ayant une grande valeur affective à vos yeux, comme un morceau de la chemise à carreaux de votre père, la housse du coussin que vous aviez dans votre première maison, etc. Ce

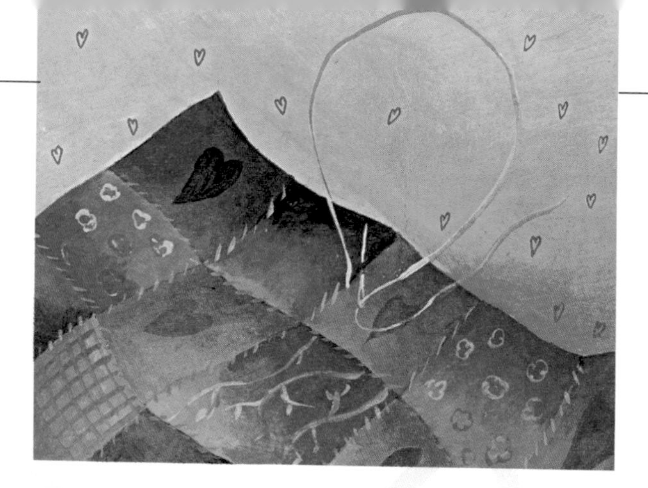

projet associe la détente induite par la couture et les plaisirs de l'improvisation à l'instinct de célébration. La couverture terminée, vous vous endormirez chaque soir dans d'heureux souvenirs.

581 **Fabriquez une couverture pour un enfant**, sur le même principe, en utilisant des chutes de ses vêtements à des âges différents. Il vous écoutera très attentivement raconter l'histoire de chaque élément de la couverture.

582 **Jardinez !** L'exercice physique et le contact avec la nature contribuent à la détente. Accordez vos tâches à votre humeur : réservez le bêchage à la journée où vous avez besoin de beaucoup vous dépenser et l'arrachage des mauvaises herbes au moment où vous vous sentez plus enclin à la méditation. Surtout, profitez de la beauté du jardin tout en travaillant.

583 **Retirez les mauvaises herbes à la main**. À chaque mauvaise herbe arrachée peut ainsi correspondre l'élimination d'une mauvaise habitude ou la prise d'une bonne résolution, par exemple.

584 **Plantez des graines**, des bulbes ou une jeune plante. Vous verrez ainsi dans votre jardin autre chose qu'une corvée consistant à arracher les mauvaises herbes, à tailler ou à élaguer. En tant qu'être humain, vous avez le privilège inouï de voir grandir quelque chose que vous avez fait vous-même (ou contribué à réaliser). Les soins que nous apportons à ces plantes qui grandissent ont l'effet bénéfique de nous détourner un peu de notre ego.

585 **Réalisez un jardin japonais**, dans un petit bac à sable décoré de rochers. Ratissez le sable autour des rochers et méditez sur la beauté de l'espace ainsi créé. (Vous pouvez utiliser du gravier, meilleur marché que le sable.)

Vous pouvez aussi réaliser un **jardin japonais intérieur (586)**, par exemple dans une bassine que vous poserez sur le rebord d'une fenêtre. Ratissez le sable à l'aide d'une vieille fourchette.

587 **Réservez un coin de votre jardin aux herbes aromatiques**, en disposant les plantes en forme de colombe, de cœur ou d'autres symboles de la paix.

588 **Cultivez vos légumes**. Vous aurez ainsi la double satisfaction de l'autosuffisance et du plaisir de donner la production en excédent à votre famille, à vos amis ou à des voisins.

589 **Plantez un arbre**. Vous avez tout à gagner, dans ce geste qui demande de la patience et dont les « résultats » dépasseront peut-être même votre

propre existence. Si vous n'avez pas de jardin, demandez à un ami de planter un arbre dans le sien ou bien proposez une donation au jardin ou au parc de votre quartier.

590 Vieillissez prématurément vos décorations de jardin en les enduisant de yaourt pour favoriser la formation de mousses. Lorsque l'on choisit d'honorer la tranquillité et le passage du temps de cette façon, on vit aussi souvent ces étapes plus profondément.

591 **Donnez à manger aux oiseaux** dans votre jardin, en hiver, dans une mangeoire suspendue de façon à décourager les chats ou autres prédateurs. Il est toujours bon d'aider les animaux sauvages dans les périodes difficiles. S'il arrive qu'un chat attrape un oiseau, ne soyez pas trop sévère : c'est ainsi que la nature l'a fait ! En été, fabriquez une petite **baignoire pour les oiseaux (592)** ... Et profitez du spectacle !

593 **Installez un point d'eau**, un petit étang par exemple, dans votre jardin. Faites-y pousser des nénuphars, symboles d'abondance. Ajoutez des roseaux et placez de jolis rochers sur les bords pour créer une harmonie entre l'étang et son environnement.

594 **Réalisez une tonnelle dans votre jardin** ou votre cour en installant des plantes grimpantes contre un simple cadre de bois. Privilégiez des variétés parfumées (chèvrefeuille, par exemple). Installez un **fauteuil de jardin (595)** sous la tonnelle, pour vous détendre dans l'ombre parfumée, en été.

596 **Après les fêtes, mettez votre arbre de Noël en terre**. Ce sera Noël toute l'année !

597 **Parlez à vos plantes**. Il semblerait que les plantes auxquelles on parle se développent plus vigoureusement. En tout cas, elles écoutent toujours attentivement !

LE VOISINAGE

598 Parlez à vos voisins et favorisez l'entraide mutuelle. Il est toujours intéressant de se constituer un réseau de voisins sympathiques, par exemple pour laisser entrer l'électricien lorsque vous êtes au travail ou pour arroser vos plantes lorsque vous êtes en vacances !

599 Donnez un double de vos clés à un voisin. Cette marque de confiance sera appréciée et présente aussi l'avantage de vous éviter de vous retrouver « enfermé » à l'extérieur !

600 Souhaitez la bienvenue à de nouveaux voisins. Proposez-leur votre aide. Surprenez-les avec un cadeau de bienvenue.

601 « Adoptez » un chat du quartier. Inutile de le nourrir ou de lui donner un nom. Souhaitez-lui simplement bonne route chaque fois que vous croisez son

chemin... et attendez patiemment les retombées de cette bonne action.

602 **Faites un détour**, en rentrant chez vous, pour sortir de votre routine. Vous connaîtrez mieux votre quartier et repérerez ses possibilités pratiques et en termes de loisirs.

603 **Observez la floraison du printemps**. Les Japonais, par exemple, ont l'habitude de célébrer l'arrivée du printemps en pique-niquant sous les branches neigeuses des cerisiers en fleur. Sirotez une tisane avec un(e) ami(e). Écrivez de vibrants haïkus sur cette saison. Appréciez aussi d'autres temps forts du printemps ou de l'été. Dans certaines régions, vous pouvez même vous lancer dans un « safari magnolia » pendant toute une semaine, au printemps. Les magnolias sont alors au faîte de leur splendeur.

Savourez aussi les **couleurs de l'automne (604)**. Écrivez un poème sur cette saison, comme John Keats.

605 **Intéressez-vous à l'histoire de votre quartier** ou de votre village, vous apprendrez probablement des choses passionnantes.

Au travail

ESPACE PERSONNEL

606 Rangez votre bureau chaque soir, notamment les papiers, crayons, stylos, etc. Recopiez vos notes. À l'heure du départ, il s'agit peut-être du cadet de vos soucis, mais un bureau bien rangé vous aidera à commencer votre journée sereinement, le lendemain.

Un prolongement de cet exercice consiste à **ranger son bureau avant d'aller déjeuner (607)**. Non seulement vous commencerez l'après-midi l'esprit plus serein, mais vous verrez aussi tout de suite le « petit mot » déposé par un collègue pendant votre absence.

608 **Prenez exemple sur les artisans** de l'ère préindustrielle en respectant votre matériel. Enlevez la poussière sur votre téléphone et sur l'écran de votre ordinateur. Traditionnellement, priver un ouvrier de ses outils était un péché impardonnable. Raisonnez vous aussi de cette façon.

609 **Installez un ioniseur**, pour rétablir l'équilibre ionique de l'air, perturbé par la présence de matériel électronique.

610 **Placez un cristal sur l'écran de votre ordinateur**. Les cristaux, surtout le quartz, qu'il soit transparent ou fumé, absorbent une partie du rayonnement électromagnétique produit par le matériel électrique. Sélectionnez un cristal qui vous plaît, purifiez-le en le laissant tremper 24 heures dans l'eau, puis placez-le sur ou devant votre écran d'ordinateur. Pensez à le purifier dans l'eau une fois par mois environ.

611 **Ayez une plante sur votre lieu de travail** et soignez-la : vérifiez chaque jour si elle a besoin d'eau,

retirez les feuilles mortes, etc. Prodiguer des soins quotidiens, même à une plante, est un élément important de la vie au travail. Peut-être remarquerez-vous, au bout d'un certain temps, que cette prévenance « déteint » sur vos collaborateurs.

612 **Ayez toujours un compotier rempli de fruits sur votre bureau**. Vous aurez ainsi de quoi faire de saines collations, mais aussi une nature morte à contempler et quelque chose à proposer aux collègues ou aux visiteurs.

613 **Ayez un objet incongru sur votre bureau**, pour garder le sens de l'humour et relativiser le stress de la vie professionnelle.

614 **Changez de police ou de couleur de fond d'écran, sur votre ordinateur** : vous y gagnerez une nouvelle perspective.

615 Appréciez la routine ! Certes, elle a parfois quelque chose de déprimant, mais pourquoi ne pas vous lancer dans vos activités plutôt que de vous décourager à l'avance ? La routine rassure et offre une fondation solide sur laquelle bâtir nos rêves.

616 Ayez un éphéméride. Vous retrouverez beaucoup plus facilement l'information dont vous aurez besoin. Cette solution est beaucoup plus simple que des notes tapées à l'ordinateur et classées parmi les autres fichiers.

617 Ayez une case de « pré-archivage », dans laquelle vous rangez les documents dont la destination n'est pas encore décidée. Faites régulièrement le « ménage » dans votre case. Ce système vous épargnera l'inquiétude d'avoir jeté un document utile ou, inversement, l'amoncellement de documents inutiles. Profitez-en pour faire du **classement (618).**

619 Pratiquez les « quatre D » : différez, déléguez, débarrassez-vous de la tâche ou... décidez de l'accomplir vous-même. La capacité à équilibrer sa charge de travail est une qualité importante qui donne une efficacité maximale. En déléguant, vous conservez la responsabilité de la tâche et, par conséquent, du collaborateur qui l'accomplit à votre place. Vous pouvez aussi différer une tâche non urgente que vous accomplirez ensuite vous-même. Si, dans notre vie personnelle, remettre quelque chose à plus tard a une connotation négative, au travail, cela fait partie de l'établissement des priorités lorsque l'on est submergé.

620 **Déléguez « vers le haut », si nécessaire.** Si votre supérieur vous demande d'accomplir une tâche qu'il (ou elle) devrait faire lui (ou elle)-même, expliquez-lui clairement et calmement pourquoi votre charge de travail vous permet difficilement de le faire.

621 **Chaque jour, faites quelque chose que vous n'aimez pas**. Tout travail comporte des tâches désagréables ou ennuyeuses. En faisant chaque jour quelque chose que vous n'aimez pas, vous évitez que ces tâches s'accumulent et pèsent sur votre conscience.

622 **Ne faites pas d'excès de zèle dans les petites tâches**, surtout si vous êtes surchargé de travail par ailleurs. Vous pourrez ainsi accorder toute l'attention nécessaire aux travaux les plus importants.

623 Fixez-vous vos propres délais, chaque jour, pour l'accomplissement de certaines tâches comme la gestion du courrier postal et électronique.

Faites sonner un minuteur ou votre agenda électronique (624), pour savoir que le temps imparti à l'accomplissement d'une tâche est écoulé.

625 Notez vos erreurs et vos découvertes lorsque vous réalisez une tâche difficile pour la première fois. Reportez-vous à ces notes lorsque vous reprenez la tâche en question, afin d'éviter de répéter vos erreurs.

626 **Lorsque vous téléphonez**, préparez tous les documents nécessaires à l'avance pour éviter de perdre du temps.

627 **Notez le nom et le numéro** de la personne avec qui on vous met en communication dans une administration ou une société avec laquelle vous entrez en contact. Cela vous évitera de perdre du temps si jamais vous devez rappeler plus tard.

628 **Ayez toujours sur vous les numéros de téléphone importants**. Notez à l'avance le numéro de la personne avec laquelle vous avez une réunion afin de pouvoir prévenir en cas de retard. Le geste sera apprécié et vous n'aurez pas à vous inquiéter, sur le trajet, de susciter de l'impatience.

629 **Activez votre messagerie vocale** si vous avez une tâche importante à accomplir, pour mieux vous concentrer. Vous rappellerez par la suite vos correspondants, auxquels vous pourrez alors accorder toute votre attention.

630 **Familiarisez-vous avec votre ordinateur**. L'impossibilité de régler un problème technique ou d'utiliser une fonction peut générer un stress considérable. Feuilletez le guide d'utilisation de l'ordinateur pour vous familiariser avec ce dernier et les logiciels dont il est équipé.

Prenez aussi le temps de **tester (631)** les différents logiciels : familiarisez-vous avec leurs fonctions et leurs raccourcis.

632 **Sauvegardez régulièrement votre travail**. Enregistrez le fichier sur lequel vous travaillez toutes les cinq minutes, puis faites une sauvegarde en fin de journée : vous éviterez facilement le stress lié à une panne matérielle et à la perte d'heures de travail.

633 **Apprenez la lecture rapide**, de façon à extraire l'essentiel d'un document, sans être ralenti par le « déchiffrage » des mots.

634 **Respectez les règles que vous vous êtes imposées**, même si elles ne sont pas édictées par votre entreprise, afin de

créer une autodiscipline et renforcer votre estime de vous-même. Par exemple, vous pourriez limiter l'utilisation du téléphone, de l'Internet ou de la photocopieuse à des fins personnelles.

635 **Cultivez des défis positifs**, pas négatifs. Par exemple, lorsque vous faites des heures supplémentaires, concentrez-vous sur le résultat plutôt que sur les heures que vous consacrez à cette corvée ! C'est le plus sûr moyen d'en alléger la charge.

LES RELATIONS AVEC LES COLLÈGUES

636 **Soyez totalement vous-même, au travail**. Certes, ce n'est pas l'endroit idéal pour étaler toutes ses émotions, mais cela ne signifie pas pour autant qu'il faille cacher qui l'on est vraiment. Soyez honnête sur ce que vous ressentez. Faites en sorte que vos collègues vous voient tel que vous êtes, entièrement concentré sur la tâche à accomplir et décidé à le faire au mieux de vos possibilités.

637 **Acceptez la part du transfert**. Ce terme de psychologie désigne le processus par lequel nous projetons les émotions liées à un événement particulier sur la cible la plus proche, généralement un tiers qui n'a rien demandé. C'est ce qui se passe lorsqu'un employé décharge, sur un inférieur, l'agressivité dont il a lui-même fait l'objet de la part de son supérieur. En prenant conscience que vous faites ce genre de chose, vous avez déjà accompli la moitié du chemin pour y remédier.

638 **Faites entrer la critique** dans votre esprit comme un inconnu dans votre foyer. Parlez-lui ! Voyez si vous avez des points communs, une perspective à partager. Établissez à partir de ces bases communes une solution constructive. Considérées comme un affront personnel et rejetées en bloc, les critiques suscitent colère et frustration et vous empêchent de tenir compte d'un retour d'informations utile.

639 Laissez aussi les autres tirer les enseignements de vos erreurs. Lorsque les employés sont incités à faire part de leurs erreurs sans craindre les réprimandes, non seulement l'ambiance de travail s'améliore, mais cela signifie aussi qu'ils peuvent mettre en commun leur expérience, de façon à ce que tout le monde tire les enseignements des erreurs des autres. D'où des gains d'efficacité.

640 Montrez de l'intérêt pour la vie de vos collègues. Cela vous empêchera de tomber dans le piège qui consiste à voir les autres uniquement dans leur rôle. N'oubliez pas qu'ils peuvent vous surprendre !

641 Soyez courtois. Parfois, les collègues de travail nous deviennent si familiers que nous n'avons plus, pour eux, les égards que nous réservons aux personnes avec lesquelles nous voulons établir une relation privilégiée. N'oubliez pas vos bonnes manières. Les autres s'épanouissent lorsqu'on les traite avec courtoisie et respect.

642 **Rapportez des souvenirs « comestibles » de vos vacances**. Il s'agit d'une bonne façon de témoigner de votre bonne volonté, mais aussi de rappeler à vos collègues que vous ne les chassez pas de votre esprit dès la porte du bureau franchie.

643 **Jouez un rôle social au sein de votre entreprise**. Prenez des leçons de secourisme, organisez des sorties au cinéma, etc. Vous pourrez ainsi établir d'autres relations avec vos collègues et rendre le lieu de travail plus humain.

644 **Ne lésinez pas sur la garniture**. N'oubliez pas que les échanges de vues professionnels, notamment avec les clients, sont plus faciles s'ils s'accompagnent de considérations plus générales.

Posez une question personnelle (645) lorsque vous livrez des informations sur vous-même, afin de donner une touche plus chaleureuse et intime à vos relations professionnelles. Veillez toutefois à rester dans les limites du tact et des bonnes manières.

646 **Reposez-vous les yeux toutes les dix minutes** lorsque vous travaillez à l'ordinateur. Jetez juste un coup d'œil à la pièce pour regarder de loin.

Asseyez-vous à au moins **75 centimètres (647)** de l'écran de l'ordinateur et protégez-vous du rayonnement électromagnétique en installant un filtre antireflet.

Pour éviter les microtraumatismes répétés sur les poignets, utilisez un **repose-poignets (648)** et un **clavier mobile (649)**, dont vous changerez régulièrement la position.

650 **Nouez vos doigts et étirez les bras au-dessus de la tête**. En même temps, étirez le dos en appuyant sur le dossier (tout en gardant les pieds au sol). Respirez profondément et lentement pendant une vingtaine de secondes.

Un autre exercice consiste à **étirer les bras à l'horizontale (651)**, paumes des mains vers

le ciel, tout en respirant profondément. Ce mouvement facilite la souplesse des poignets et prévient les microtraumatismes.

652 **Revoyez votre posture, heure par heure**, lorsque vous passez beaucoup de temps devant l'ordinateur, soit en changeant de position, soit, simplement, en étirant la colonne vertébrale et en baissant les épaules.

653 **Étirez les épaules pour en soulager la tension**. Assis sur une chaise, dos droit et poitrine relevée, soulevez le bras droit au-dessus de la tête tout en inspirant. Pliez le coude et placez la main dans le dos, paume posée entre les omoplates. Baissez le bras gauche et placez-le aussi dans le dos, coude relevé. Essayez de nouer les doigts. Maintenez cette position sur trois à six respirations. Recommencez de l'autre côté.

Si vos doigts ne se touchent pas, **reliez-les au moyen d'une cravate ou d'un foulard (654)**.

655 **Effectuez des rotations sur votre chaise**. Assis de côté, effectuez une rotation du torse vers le dossier tenu à deux mains,

tout en expirant. Maintenez cette position sur trois à six respirations, puis recommencez de l'autre côté. Vous soulagerez ainsi les tensions sur le bas du dos, liées à la position assise et vous « débloquerez » aussi votre esprit.

656 **Détachez vos doigts du clavier**. Lorsque vos doigts sont « collés » au clavier toute la journée, vos mains et vos poignets s'en ressentent. Gardez quelques objets à manipuler sur le bureau : une petite balle en mousse à malaxer fera l'affaire, tandis qu'une balle de tennis, avec sa texture, sera très utile pour masser la paume des mains.

657 **Accordez-vous une pause, pendant une tâche monotone**, pour faire quelque chose de totalement différent. Ainsi, interrompez le classement – silencieux – de documents pour passer quelques appels téléphoniques. Si vous étiez à l'intérieur pendant de longues heures, sortez faire un tour sur le parking ou dans la rue.

658 **Aspergez votre visage et vos poignets d'eau fraîche**, dans les toilettes, pour vous réveiller.

Un mouchoir en papier humecté d'eau (659), pressé sur les tempes ou la nuque, donne aussi un regain d'énergie.

Sinon, prévoyez un **brumisateur (660)**, que vous laisserez sur votre bureau, afin de vous rafraîchir.

661 **Faites une sieste après le déjeuner** : c'est la période où la baisse de vigilance est la plus importante, compte tenu de la digestion. Une demi-heure suffit à recharger les batteries. Si vous dormez plus longtemps, vous risquez de vous sentir « pâteux » tout l'après-midi.

662 Pratiquez la « micro-sieste », qui ne doit pas durer plus de cinq minutes. Profitez des images qui défilent devant vos yeux fermés, alors que vous oscillez entre la veille et le sommeil. Ces périodes de transition sont parfois l'occasion d'intuitions fulgurantes.

663 Recherchez la beauté, dans un grand magasin, pendant votre pause déjeuner. Vous y trouverez une large palette de stimulations visuelles. Promenez-vous au hasard jusqu'à ce que votre regard s'arrête sur un bel objet. Il peut aussi bien s'agir d'un stylo à plume que d'un grand lit ! Admirez le talent qui a été mis dans la fabrication des meubles et objets, à la fois esthétiques et pratiques.

664 Visitez une galerie d'art pendant votre pause déjeuner. Trouvez un tableau qui vous plaît et vous détend. Observez-le pendant au moins cinq minutes. Il s'agira d'un paysage, d'une œuvre abstraite dans des teintes apaisantes ou encore d'une peinture religieuse exprimant la transcendance. Achetez une carte postale de l'œuvre et rapportez-la au bureau pour garder le souvenir de cette rencontre apaisante.

665 **Faites votre pause déjeuner dans un parc** à proximité de votre lieu de travail. Observez-y le passage des saisons, trouvez-y « votre » banc, parlez avec les jardiniers : profitez de ce moment passé dans la nature et au cœur de la ville.

666 **Délaissez l'ascenseur au profit des escaliers**, au travail, ou associez les deux. Ce type d'exercice augmente le métabolisme, ainsi que le flux de sang riche en oxygène dans le corps, tout en sollicitant les cellules, y compris celles du cerveau.

667 **Conservez une saine perspective sur vos problèmes professionnels**. Ne les prenez pas trop à cœur et ne vous dites pas que vous n'avez pas mérité cela. Nombreux sont les postes où l'on est justement payé pour résoudre les problèmes. Relevez le défi et réjouissez-vous de la chance que vous avez de justifier votre rémunération.

668 **Donnez-vous du temps et de l'espace** pour profiter de la vie, outre la poursuite d'une carrière. Comme dit le dalaï-lama : « Jugez votre réussite à l'aune des renoncements auxquels elle vous

a contraint. » Car la réussite seule et pour elle-même apporte rarement le bonheur.

669 Laissez votre « moi » professionnel au portemanteau, chaque soir en quittant votre travail. Cette visualisation simple vous aidera à ne plus penser aux frustrations du travail au lieu de les « ramener » à la maison. Faites de même si vous emportez du travail chez vous : vous créerez une saine rupture entre la journée de travail et la soirée à la maison.

670 Intercalez une semaine de travail entre deux semaines de congés. Vous bénéficiez ainsi de quatre week-ends de vacances au lieu de trois et vous évitez de prendre trop de retard.

Les autres

671 **Envoyez de beaux vœux** à vos amis : écrivez sur des cartes de vœux ou signez vos lettres d'un vœu. N'hésitez pas à emprunter, au besoin, des formules dans des livres et les journaux.

Vous pouvez aussi exprimer des **souhaits surréalistes (672)**, chargés de symboles mais à la signification évasive. Par exemple :

« Que ton habit d'arlequin ne prenne pas la couleur de l'argent. »

673 Inventez des mots croisés pour un ami. Les réponses sont les qualités qu'il possède à vos yeux. Vous l'aiderez à renforcer son estime pour lui-même, à mesure qu'il se découvre à travers vous.

674 Envoyez un puzzle : collez, sur une feuille de papier ou de carton, la photographie d'une personne ou d'une chose que votre correspondant apprécie, puis découpez cette image avant de l'envoyer. Le puzzle peut aussi contenir un **message (675)** exprimant votre amitié pour cette personne.

676 Fabriquez une carte d'anniversaire pour un ami ou un membre de votre famille, avec du papier de couleur, des images découpées dans un magazine et un texte écrit en calligraphie ou avec une belle police de caractères, à l'ordinateur. Faites de cette carte un cadeau très personnel par ses images et son message. Concentrez-vous sur la réaction qu'elle suscitera chez son destinataire. L'anticipation du plaisir de l'autre à la vue de cette bonne surprise est un bon moyen de se libérer de pensées stressantes.

677 **Offrez un cadeau de remerciement**, par exemple pour avoir reçu de bons conseils, lorsque quelqu'un **garde votre maison en votre absence (678)**, vous **emmène** quelque part **en voiture (679)** ou vous fait bénéficier de sa **recommandation professionnelle (680)**. Les cadeaux sont aussi indiqués lorsqu'il s'agit de **s'excuser (681)** : dire simplement que l'on regrette ne suffit que dans les situations les plus banales.

682 **Offrez des cadeaux sans raison**, si ce n'est pour montrer la valeur que vous accordez à une relation. De tels présents inattendus sont aussi ceux qui font le plus plaisir à celui qui les fait comme à celui qui les reçoit.

683 **Organisez une surprise « royale »** pour votre partenaire, un ami ou un membre de votre famille proche. Veillez à tous les aspects pratiques. Donnez simplement rendez-vous à la personne, en précisant, le cas échéant, la tenue à porter. Dîner à bord d'une péniche, visite d'une réserve d'animaux, les possibilités ne manquent pas. Faites en sorte que la personne fêtée se sente comme un roi ou une reine.

Un **week-end surprise (684)** offre les mêmes plaisirs, mais à plus grande échelle. La surprise aura un effet catalyseur sur votre propre plaisir.

685 **Échangez votre logement** avec celui d'un ami vivant dans une autre ville ou région, afin de profiter et de faire profiter l'autre de vacances bon marché.

686 **Dites un secret à un ami** sur vous plutôt que sur une autre personne, bien entendu ! Les secrets sont accueillis comme des cadeaux d'intimité, dont le partage renforce le lien de l'amitié.

687 **Offrez à ceux que vous appréciez un passeport** pour visiter votre espace intime. Ils ne connaissent pas cette contrée, accueillez-les donc avec prévenance et chaleur.

688 **Faites un clin d'œil à quelqu'un** que vous connaissez, voire que vous ne connaissez pas. Vous saurez, au fond de vous, si ce signe risque d'être mal interprété ou non. Si c'est le cas, contentez-vous de sourire.

689 **Enseignez votre talent particulier à quelqu'un**, qu'il s'agisse d'art, d'algèbre, d'observation des oiseaux, de danse de salon, de yoga ou de planche à voile. Il n'y a pas de plus beau cadeau. Surtout si vous l'associez à la patience et à la compréhension, en tolérant les inévitables erreurs d'un débutant.

690 **Prêtez votre voiture**. De nos jours, cela passe pour un geste d'une immense générosité. Pourtant, une voiture n'est, au fond, qu'un bien matériel. Pourquoi ne pas laisser quelqu'un d'autre l'utiliser, un jour où vous n'en avez pas besoin vous-même ?

691 **Surprenez un inconnu** par un geste de bonté : payez par exemple les courses d'une personne âgée à la caisse du supermarché ou rapportez un souvenir de vos vacances à votre voisin grognon.

692 **Donnez votre sang**. Rares sont les bonnes actions dont l'effet est si important pour un geste somme toute minime. En donnant votre sang, mesurez la chance que vous avez d'être en bonne santé ; faites aussi passer tous vos vœux de prompt rétablissement dans ce don. De même, inscrivez-vous comme **donneur d'organes (693)**. Il est toujours bon de savoir que l'on peut continuer à faire le bien, même après sa mort.

694 **Déposez toute votre monnaie** dans l'urne d'une association caritative. Visualisez mentalement le travail que permet d'accomplir cet argent : achat de nourriture pour les plus démunis ou acquisition d'équipements hospitaliers. Ne vous sentez-vous pas délesté de toutes ces petites pièces de monnaie ?

695 **Donnez aux personnes dans le besoin**, qui mendient dans la rue, non pas de l'argent, mais de la nourriture. Vous serez étonné de constater la sincérité de leur gratitude. Même si la personne répond par le silence ou qu'elle vous demande aussi de l'argent, souvenez-vous que vous êtes beaucoup plus fortuné qu'elle : vous n'avez pas le droit de lui en vouloir.

696 **Devenez bénévole** : écrivez des courriers, collectez des fonds ou trouvez des volontaires pour une action humanitaire. Si le temps vous manque, **sensibilisez (697)** vos amis et connaissances aux problèmes humanitaires. Vos gestes les plus modestes peuvent avoir des répercussions positives sur des problèmes dans des pays lointains. La mise en pratique de cette conviction vous donnera une bonne raison d'avoir confiance en vous.

AMOUR ET COMPASSION

698 Témoignez votre amour à votre famille et à vos amis. Visualisez une personne que vous aimez blottie dans l'énergie positive émise par votre esprit. Cette énergie véhicule vos vœux les plus sincères de bonheur, santé, sécurité et sérénité. Gardez cette image à l'esprit pendant quelques minutes. Décidez que vous ferez tout votre possible, dans votre relation avec cette personne, pour que cette image devienne réalité.

Vous pouvez aussi souhaiter bonheur, santé, sécurité et sérénité aux **connaissances que vous appréciez (699)**, puis aux **personnes qui vous sont indifférentes (700)** et enfin à celles **que vous détestez cordialement (701)**. Il s'agit d'une version moderne de la méditation tibétaine sur la compassion et l'amour.

702 Serrez vos amis dans vos bras, au moins de temps en temps. Même si vous n'êtes pas un adepte du contact physique, la chaleur et la générosité d'un corps contre le sien sont très bénéfiques, de temps en temps ! Lorsque vous vous demandez si une embrassade convient, la réponse est probablement oui. Lancez-vous !

703 Encouragez un ami qui débute un projet ou s'est lancé un défi. En remplissant de courage le cœur de quelqu'un, vous ne pouvez que vous faire du bien à vous-même.

704 Rendez visite à un ami hospitalisé. Les hôpitaux manquent cruellement de chaleur humaine. Faites bénéficier de votre entrain, pas seulement la personne que vous venez voir, mais aussi les autres patients, ainsi que le personnel, en le remerciant pour son dévouement.

Les meilleurs cadeaux à apporter à l'hôpital sont des **plats cuisinés à la maison (705)**, des **fruits et des fleurs (706)** ou des

huiles essentielles (707) dont vous mettrez quelques gouttes sur l'oreiller du malade (voir. n° 466).

708 **Cherchez comment venir en aide aux autres**. Celui qui prend ce genre d'initiative, qui en fait le centre de sa vie, vivra toujours près de l'amour. Les services, c'est la sérénité. Celui qui est persuadé que la vie est régie par la loi du plus fort vivra une existence faite de peur. La survie, c'est le stress.

709 **Restez clair dans votre compassion**. Lorsque vous voyez l'autre souffrir, résistez à la tentation de souffrir avec lui : cela ne sert à rien. Détachez-vous plutôt de sa souffrance tout en restant mentalement engagé et en compatissant. Car tel est le vrai sens de la compassion. Vous éviterez ainsi de vous épuiser mentalement et vous vous concentrerez mieux sur l'aide nécessaire.

710 **Soyez attentif à la détresse**. Lorsque des amis, des membres de la famille, voire des étrangers, se mettent à pleurer devant vous, plutôt que d'avoir une réaction de rejet, mettez de côté vos propres problèmes pour donner toute votre attention à ceux des autres. Certes, les pleurs sont parfois la manifestation d'une réaction disproportionnée par rapport à la réalité. Mais vous n'aiderez pas la personne à y voir plus clair si vous n'essuyez pas d'abord ses larmes.

711 **Mettez les autres à l'aise**, dans des situations gênantes. La gêne est une forme atténuée de détresse, à laquelle il est facile de remédier pour faire naître un climat de confiance.

712 **Soyez généreux dans votre pardon**. Le pardon est la situation naturelle de l'esprit, un pétale de la fleur d'amour. En par-

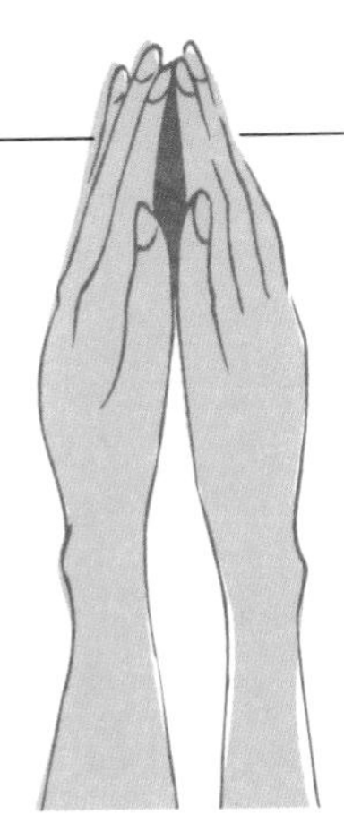

donnant, nous émettons une énergie positive qui sera toujours perçue avec gratitude et utilisée à bon escient.

713 **Pratiquez le *drishti*** (regard, en sanskrit), à savoir la vision bienveillante. Envoyez cette bienveillance aux autres par le regard. Nos yeux véhiculent une énergie subtile, qui touche chacun et tout ce que nous regardons. Transmettez cette énergie à vos amis, votre famille, vos voisins, vos collègues – et au monde entier.

714 **Inclinez-vous devant la lumière dans l'autre**. En Inde, la salutation traditionnelle consiste à joindre les mains, comme dans la prière, puis à s'incliner et à prononcer le mot *namasté*, qui signifie « Je m'incline devant la lumière qui est en toi ». Ce geste exprime le plus profond respect. Utilisez-le lorsque la salutation habituelle n'exprime pas assez bien le respect.

Parmi les autres formes de salutations qui renforcent la bonne volonté, on peut citer **« Que la paix soit avec vous » (715)** ou tout simplement « Paix ! », comme le signifie le « salaam » des pays musulmans. À Hawaii, on emploie la salutation exubérante et affirmée, **« Aloha ! » (716)**, parfois renforcée par un « Akoa ! », **« Aloha Akoa » (717)** signifiant « l'amour de Dieu ». L'expression juive **« yacher koach » (718)** exprime le vœu d'une force renouvelée. En Thaïlande, on se salue par un **« waï » (719)**, en joignant les mains au niveau du menton et en s'inclinant en signe de respect, en particulier vis-à-vis des personnes âgées ou pour signifier la déférence. **Au Japon,** plus on s'incline **(720)**, plus la salutation est respectueuse. Enfin, **s'embrasser sur les deux joues (721)** crée un lien immédiat.

722 **Rendez service aux autres par la pensée**. Il n'est pas forcément possible de faire directement quelque chose pour ceux qui souffrent, dans le monde. Mais l'on peut certainement aider avec des sentiments purs et des pensées positives. Asseyez-vous en posture de méditation, ayez conscience de votre moi spirituel relié à la source divine, et transmettez de subtiles vibrations de paix, d'amour et de force à ceux qui en ont besoin.

Pour faire naître ou grandir la bonne volonté, vous pouvez **écrire une prière (723) ou une méditation (724)** dédiée aux victimes d'une catastrophe naturelle ou d'une dictature, par exemple. **Dédiez une corvée (725)** à ces personnes : pensez à eux jusqu'à ce que vous l'ayez terminée.

726 **Imaginez un grand maître spirituel**, debout devant vous. Il s'adresse directement à vous. Écoutez ses paroles en silence. Vous ressentirez de l'amour, mais peut-être aussi de la douleur, au départ. Prenez conscience du fait que la compréhension et la sagesse qui émanent de lui vous guérissent, que son amour purifie votre cœur et votre esprit. Vous pouvez aussi imaginer, dans ce rôle, un **ancêtre réputé pour sa sagesse (727)**, ou encore **un chaman (728)**, guérisseur traditionnel d'Amérique du Nord.

729 **Imaginez que vous croisez votre index autour de celui** d'un nouveau-né. Sentez la peau douce et délicate du bébé. Remarquez comment il s'agrippe à votre index, alors qu'il ne maîtrise pas encore ses gestes. Prenez conscience de l'amour pur et innocent qui circule de son doigt jusqu'à votre cœur.

730 **Évitez la culpabilité** grâce à cette affirmation : « Ce n'est pas ce que tu me dis ou ce que tu me fais qui éveille ces sentiments chez moi, mais la façon dont j'interprète ce que tu me dis ou que tu me fais. » Une autre affirmation consiste à **mettre l'accent sur la paix (731)** : « Je ne permets pas à cette blessure de rester ouverte en moi. Je déclare donc la paix dans mon cœur. » Vous pouvez aussi choisir de **mettre un terme à une guerre froide (732)** par une déclaration unilatérale, comme : « Je romps la chaîne du rejet de la faute sur l'autre. Je n'exige rien en retour. »

733 **Ne vous considérez pas comme une victime**. Vous pouvez réduire au silence cette voix qui geint et vous donne une mauvaise image de vous-même. Acceptez la responsabilité de vos pensées et de vos sentiments, quoi qu'en disent les autres et quoi qu'ils vous fassent.

734 **Tenez vos promesses**. Chaque fois que nous manquons à une promesse ou à un engagement, nous portons atteinte à notre revendication de personne responsable et se connaissant elle-même. Donner sa parole est une entreprise importante, même sur

des questions accessoires. Ne faites pas de promesse si vous n'êtes pas sûr de pouvoir la tenir ! **Négociez (735)** un arrangement plus souple, le cas échéant.

736 **Soyez gentil et courtois avec votre famille**. Il est facile de considérer notre famille proche comme allant de soi. Par un étrange effet pervers, nous sommes souvent plus attentionnés pour des personnes que nous connaissons à peine. Montrez à vos proches combien ils comptent pour vous, par des gestes anodins, dans la vie de tous les jours. Par exemple, **remerciez-les (737)** pour chaque petit service qu'ils vous rendent. **Proposez votre aide (738)** lorsque vous sentez qu'elle peut être utile. **Relatez avec humour (739)** toutes vos petites mésaventures, pour les dédramatiser. Tout cela est bien plus constructif que de faire porter tous vos malaises à votre famille.

740 **Soyez courtois avec les enfants**. Lorsque vous leur demandez de vous aider, choisissez soigneusement vos mots, comme vous le feriez avec un adulte. Pensez aussi à les remercier et à leur expliquer pourquoi vous êtes reconnaissant.

De même, soyez courtois avec les **personnes qui vous servent (741)** – vendeurs, vendeuses ou personnel de maison.

Au téléphone (742), on oublie souvent que l'interlocuteur ne peut pas déchiffrer nos mimiques. Veillez aussi à bien articuler.

743 **Dites correctement merci**, non pas en répétant une formule toute faite, mais en exprimant sincèrement ce que le cadeau qui vous a été fait représente pour vous. Puis, **dites à nouveau merci (744)** lorsque vous aurez utilisé le cadeau en expliquant combien il vous est utile ou précieux.

745 **Cultivez la gratitude**, y compris pour des choses qui vous semblent aller de soi, comme la nourriture que vous mangez. En effet, c'est de la gratitude que découle l'impression que nos vœux sont comblés. Et c'est ainsi que nous arrivons à lâcher prise et, donc, que nos vœux sont encore plus comblés.

746 **Imprégnez-vous de la vertu des autres**, simplement en l'observant. En prenant conscience des qualités de l'autre, vous vous les appropriez un peu.

747 **Prenez conscience du privilège** que vous avez de partager un moment avec une personne très intelligente, très cultivée, qui a beaucoup voyagé ou qui a d'autres talents. Ne vous laissez pas impressionner en pensant qu'elle vous est supérieure. Vous avez la chance de la rencontrer, mais souvenez-vous que la chance de recevoir n'a d'égale que la chance de donner.

748 **Élargissez votre cercle de connaissances** en évitant de confiner vos amis dans un rôle professionnel ou social. Considérez-les plutôt comme des personnes ayant de l'esprit et un potentiel important. Leur rôle social est, le plus souvent, le fruit du hasard. C'est à vous de découvrir leur véritable essence.

749 **Trouvez un guide**. Si la vie est un voyage dont l'apprentissage est le chemin, il existe toujours des gens qui sont plus avancés sur cette voie que nous-mêmes. Si nous les apprécions à leur juste valeur, nous pouvons profiter de leur inestimable sagesse, qui facilitera notre propre route. Cherchez ces personnes. Sans rien leur dire (pour ne pas rompre le charme !), faites-en vos guides.

750 Prenez au sérieux les conseils émanant de vos amis, surtout lorsqu'ils n'ont pas été demandés. Mettez-vous à la place de la personne qui vous conseille et qui, de ce fait, observe ce qui vous arrive. Ne rejetez le conseil que si vous avez des raisons précises de penser que la personne se trompe.

751 Cultivez la *sprezzatura*, cette vertu prisée par les Italiens de la Renaissance. Ce mot, qui vient de *disprezzo*, le dédain, désigne une sorte de désinvolture élégante ; celui qui la pratique refuse de mettre en avant son propre confort ou désir. Exemple : vous avez passé toute la journée à cuisiner un repas pour un ami qui doit dîner chez vous. Votre invité sonne à la porte : ayant déjà mangé, il vous propose d'aller prendre un verre dans un bar. Vous répondez avec enthousiasme à sa proposition et ne dites rien du repas que vous avez préparé. Vous venez de faire montre de *sprezzatura*.

752 Félicitez toujours en cas de réussite, même si vous êtes persuadé que les lauriers auraient pu être décernés à d'autres. Vos félicitations peuvent être tout à fait sincères sans pour autant correspondre à votre façon de voir les choses.

753 **Évitez de « corriger » les autres**. Nous perdons souvent notre temps à vouloir changer la façon dont les autres s'habillent, parlent, pensent, se réjouissent, bref, sur tout. Évitez ce genre d'attitude. Non seulement elle est totalement irréaliste et sans intérêt, mais elle risque de créer des tensions inutiles.

754 **Dépassez certains comportements**. Il nous arrive à tous de faire des bêtises, de temps à autre, mais cela ne signifie pas pour autant que nous sommes bêtes. Faites preuve, vis-à-vis des autres, de la même indulgence que vous avez pour vous-même !

755 **Évitez les ragots**. Les commérages commencent toujours par une trahison de la confiance qui a été placée en nous. À mesure qu'il est répété, le propos en vient à être déformé pour finir en ragot. En outre, les ragots peuvent finir par blesser. Trois bonnes raisons de vous en abstenir. Et puis, vous valez bien mieux que cela !

756 Bannissez le sarcasme. Cette forme la plus veule de l'humour incite ceux qui en sont victimes à ériger des barrières autour d'eux. Le sarcasme est aussi négatif et irrespectueux.

757 Tirez les enseignements des dires d'un vieux marin. Réfléchissez à ces vers tirés du *Dit du vieux marin*, un poème de Samuel Taylor Coleridge, poète anglais du XIXe siècle : « Celui-là bien il prie, qui vraiment aime bien/À la fois l'être humain, l'animal et l'oiseau ». Le marin dont il est question apporte le malheur à l'équipage en tuant un albatros sans raison. Considérez que la vie est sacrée et que la nature est harmonie. Si vous vous comportez mal, votre famille et vos proches subiront eux aussi les conséquences de vos mauvaises actions.

758 **Considérez que toutes vos relations sont utiles**, ne serait-ce qu'en raison de ce qu'elles vous apprennent sur vous-même. Ne ressassez pas une relation passée qui n'a pas évolué comme vous l'auriez espéré, mais réfléchissez à ce qu'elle vous a appris.

759 **Brisez la chaîne des reproches**. Certaines personnes sont liées par des liens de reproches réciproques, ce qui aboutit généralement à du stress de part et d'autre. Supprimez, de votre côté, tout sentiment négatif vis-à-vis d'une personne qui vous reproche des choses. Restez positif vis-à-vis d'elle, même si vous savez que ce sentiment n'est pas réciproque. Il lui faudra peut-être du temps pour se ranger à vos arguments. Toutefois, même si elle continue à vous en vouloir, peu vous chaud ! Pratiquez la sagesse : donnez sans attendre de recevoir en retour.

760 **Bannissez les critiques** d'un commun accord, qu'elles soient explicites ou implicites. Cette initiative est particulièrement adaptée pour une relation amoureuse. Pendant une durée donnée, n'autorisez que les échanges positifs entre vous : interdiction de se livrer à des chicaneries et autres pinaillages ! Celui qui transgressera cette règle devra s'acquitter d'une amende dont la nature aura été définie à l'avance : câlin, corvée ou dons à une œuvre caritative.

761 **Réglez une dispute avant d'aller vous coucher**, autant que possible. Vous trouverez plus facilement le sommeil si vous vous êtes réconcilié avant.

762 **Réfléchissez tout en parlant** lorsque vous êtes en désaccord avec quelqu'un, et même si vous êtes d'accord ! Cessez de parler, le cas échéant, pour décider ce que vous pensez vraiment. Il faut une certaine pratique pour y arriver : de nombreuses personnes sont incapables de réfléchir tout en débattant et expriment donc des idées toutes faites. Souvenez-vous, inutile de parler plus vite ou plus fort parce que votre interlocuteur monopolise la parole : parlez à votre rythme habituel.

Lorsque la conversation devient difficile, sentez-vous libre de **demander une pause (763)** pendant que vous réfléchissez à ce que l'on vient de vous dire. Interrompre un dialogue pendant une minute ou deux permet souvent de dédramatiser une dispute.

764 Mettez-vous d'accord sur les sujets qui fâchent et mènent indéniablement à de graves disputes, avec les amis et la famille. Vous les connaissez bien, les uns comme les autres. Pourquoi chercher volontairement à s'engager dans des sables mouvants ?

765 Prononcez la formule « Sollock ! » pour imposer une minute de silence dans une dispute conjugale qui tourne au vinaigre. Vous avez ainsi le temps de vous calmer tous les deux. Contraction de Solomon Isaac, cette formule est employée par le couple aux relations conflictuelles de la pièce *Private Lives*, de Noël Coward

766 Ayez un chapeau rigolo « à disputes », rangé dans un placard, à la maison. Dans une dispute avec un membre de votre famille, posez le chapeau sur votre tête. Le rire que cela déclenchera, chez l'autre, mais aussi chez vous, sera un bon point de départ pour résoudre les difficultés dans une ambiance plus détendue. Chacun, dans la maison, doit savoir où se trouve ce chapeau, pour l'utiliser en cas de besoin.

767 Utilisez le pouvoir de l'absurde que nous donne l'imagination, pour être moins intimidé par les autres. Par exemple, imaginez les figures d'autorité non pas dans leur costume-cravate ou leur uniforme, mais **déguisés en clowns (768)** ou dans une autre tenue incongrue.

Vous pouvez aussi imaginer qu'ils sont habillés de **vêtements à l'usure accélérée (769)** dont les couleurs et le tissu s'altèrent à mesure qu'ils vous parlent. Dans moins d'une heure, ils se retrouveront certainement nus !

770 Pensez aux domaines d'incompétence des personnes qui vous impressionnent. Ainsi, si vous êtes un passionné de voile, imaginez que le virtuose de la finance dont vous venez de faire connaissance prend la barre de votre bateau dans une mer déchaînée. Si vous cousez à la perfection, imaginez que vous donnez du tissu, du fil et une machine à coudre à un éminent avocat que l'on vient de vous présenter et que vous lui demandez de vous confectionner une robe de bal.

771 **Faites des jeux de mots sur les noms** des personnes afin d'obtenir un effet comique et ne pas vous laisser intimider. Ainsi, Alain Delon devient-il Alain Ledon ou Gérard Depardieu Gérard « Deux-par-deux ».

772 **Créez un anagramme** du nom de quelqu'un qui vous a mis en colère ou vous a contrarié, en étant le plus irrévérencieux ou comique possible. Vous n'arriverez probablement à rien de mémorable, mais pendant que vous essayez, votre esprit se libère de l'influence de cette personne.

773 **Gommez une aura ou une attitude agressive** en imaginant que la seule chose sur laquelle cette attitude n'aura pas de prise est une patience d'ange, associée à une confiance inébranlable dans votre propre force silencieuse. Invoquez ces qualités. Certes, l'agressivité ne disparaîtra pas, mais au moins aura-t-elle perdu une grande partie de son pouvoir de nuisance.

774 **Faites comme Jeanne d'Arc**. Lorsque, au cours de son procès, on lui posait une question à laquelle elle ne voulait pas répondre, elle disait, simplement : « Passez outre » (c'est-à-dire à la question suivante). La prochaine fois que vous êtes confronté à des pensées ou à des sujets de conversation stériles, dites-vous mentalement « passez outre », et passez à quelque chose qui en vaille vraiment la peine.

775 **Des feuilles toutes mélangées**. Imaginez que vous tenez des feuilles d'automne de couleurs différentes, dans vos mains en coupe, comme les sentiments ambivalents que vous nourrissez à l'égard d'un ami, d'un collègue ou d'un membre de votre famille, ou encore vis-à-vis d'une situation à laquelle vous êtes confronté. Une bourrasque les fait tomber à vos pieds : vos contradictions éliminées, vous pouvez repartir d'un bon pied.

776 Ayez la poignée de main ferme, c'est-à-dire ni trop molle, ni trop vigoureuse (ne secouez pas la main de votre interlocuteur). Accompagnez votre poignée de main d'un regard dans les yeux : que toute votre bonne volonté transite par ce toucher.

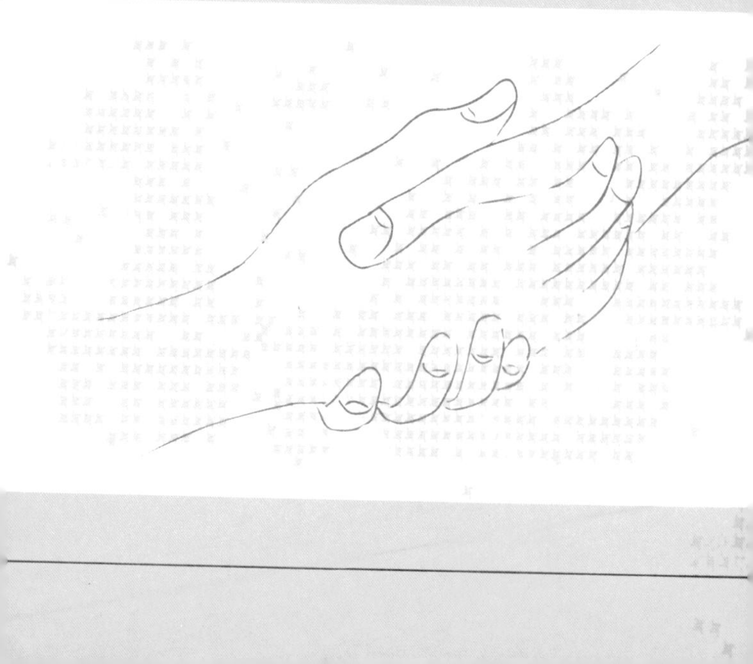

777 **Écoutez les autres**. En étant attentif aux autres, nous maintenons d'une certaine façon l'équilibre avec eux. Écoutez attentivement ce que vous disent les autres, dans toutes vos relations, quelles qu'elles soient.

Lisez aussi dans les gestes de l'autre (778). Le langage du corps peut aussi être très éloquent.

779 **Posez des questions directes** lorsque ce que l'on vous dit vous intrigue ou attise votre curiosité – tout en restant dans les limites de la courtoisie, bien sûr ! En effet, tout ce que vous n'arrivez pas à comprendre, chez l'autre, nuira à votre relation. Lorsque l'on ne pose pas de questions, on passe à côté de toutes sortes d'opportunités, notamment : la possibilité de **proposer son aide (780)**, de découvrir ce qu'il y a de **meilleur chez l'autre (781)**, de montrer **que l'on est intéressé par lui (782)**, de **découvrir des** points communs, mais aussi des **différences intéressantes (783)** et, enfin, **d'apprendre des choses (784)** sur le monde qui vous entoure.

785 **Interrogez votre conjoint sur son passé**. Le partage de souvenirs renforce souvent le lien amoureux.

786 **Aux enfants timides que vous ne connaissez pas bien**, racontez des choses qui les distraient ou les amusent, au lieu de les bombarder de questions convenues, qui risquent seulement de les mettre encore plus mal à l'aise.

787 **Préparez le repas ensemble**. Le temps que l'on passe avec quelqu'un, dans la cuisine, à préparer un repas, peut être le moment où l'on arrive à se confier d'un problème qui nous tracasse.

788 Respirez profondément avant de répondre. Cela vous inspirera une vraie réponse plutôt qu'une simple réaction, vous pourrez aussi assimiler vraiment ce que l'autre a dit, au lieu de continuer aveuglément à développer votre propre idée.

789 Évitez les « euh ». Il s'agit d'un tic sans intérêt pour celui qui parle comme pour celui qui écoute. Rien ne vous empêche de vous taire, tout simplement, lorsque vous avez besoin de réfléchir avant de parler.

790 Lorsque vous vous adressez à des personnes peu communicatives, posez votre question et attendez la réponse. Montrez que vous êtes intéressé. Souriez pendant les silences. En mettant ainsi votre interlocuteur à l'aise, vous l'aiderez à parler.

Parlez avec chaleur et douceur (791) pendant une journée entière. Notez combien cela libère l'esprit et incite les autres à vous imiter.

792 Dites à un ami ce que vous trouvez d'unique ou d'original en lui. Il n'y a pas de plus beau compliment.

793 **Écrivez une lettre à un ami**, en exprimant vos pensées simplement et sincèrement, telles qu'elles vous viennent. Vous pourriez faire des découvertes intéressantes sur vous-même.

794 **Enregistrez une lettre** sur une cassette ou un CD, à l'intention d'un ami ou de la personne que vous aimez, si elle est loin.

Mettez-y de la musique (795) et **enregistrez d'autres personnes (796)**. Ce cadeau fait partie de votre karma : vous en aurez forcément des retombées.

797 **Retrouvez la trace d'un ami perdu de vue** après un déménagement ou un changement de travail. Renouez avec quelqu'un qui vous manque. Savourez la joie des retrouvailles.

798 **Inventez des chansons**, avec un ami, qui parlent de vous deux. C'est une façon pleine d'humour d'échapper aux soucis du moment. L'un commence par improviser des paroles flatteuses ou absurdes sur une mélodie. L'autre compose une seconde strophe. Non seulement vous pourriez découvrir des choses intéressantes sur votre relation, mais surtout, vous rirez de bon cœur.

799 **Partagez votre sagesse** avec un ami, en vous envoyant mutuellement, par courrier électronique, des extraits de vos lectures qui vous ont particulièrement frappé. Vous pouvez procéder de façon informelle, mais il sera plus intéressant d'en faire une sorte de concours hebdomadaire de citations.

Une variation sur ce thème est le **jeu des anges et des démons (800)**. Tirez à pile ou face chacun de ces deux rôles. Celui qui tient le rôle du démon doit chercher des citations défendant des valeurs égoïstes et matérialistes. L'ange, pour sa part, doit démolir ces arguments en proposant ses propres citations, tirées de la littérature spirituelle, voire de la littérature tout court. Sous des abords sérieux, ce jeu est extrêmement divertissant.

801 Conseillez vos amis en toute honnêteté, même si vous savez que vous risquez de dire des choses désagréables. L'ami qui vous demande conseil sera plus déçu par un manque d'honnêteté que par un discours désagréable.

Bien entendu, **si l'on ne vous demande pas votre avis (802)**, vous avez la possibilité de vous taire. Toutefois, si cette perspective heurte votre conscience, il vaut mieux dire ce que vous avez au fond du cœur.

803 Faites des compliments dès que l'idée vous traverse l'esprit. Se retenir de complimenter quelqu'un revient à l'abaisser.

804 Partagez vos dialogues intérieurs. Nous avons tous de longues conversations avec nous-mêmes. N'est-il pas dommage de réserver pour soi-même ses intuitions les plus justes ? Ne mettez pas vos plus belles pensées sous le boisseau, mais faites-en profiter les autres. Cela peut paraître étrange, au premier abord, comme si vous laissiez entrer les autres dans votre « sanctuaire ». Toutefois, vous découvrirez vite qu'un dialogue intime et chaleureux peut s'établir, dans des limites tacitement reconnues, bien entendu. Comme toujours, une telle démarche apporte de nombreux bienfaits.

805 **Partagez vos enthousiasmes avec sagesse**. Ne monopolisez pas l'autre avec vos dadas du moment. Souvenez-vous que leur curiosité apparente n'est peut-être qu'un signe de politesse.

806 **Devinez qui vous appelle**, au téléphone, avant de décrocher. C'est un bon moyen d'aiguiser votre intuition. Vous serez surpris par le nombre de fois où vous tombez juste !

807 **Apprenez le langage des signes** et travaillez comme bénévole avec des sourds. Quel plaisir d'aider les autres à surmonter leurs problèmes de communication !

808 **Dites bonjour, le matin**. Les traditionnelles bonnes manières n'ont rien perdu de leur valeur. Souriez en prononçant ces mots. Le « bonjour » est trop souvent marmonné et dépourvu de toute sincérité. Abstenez-vous de faire de même !

809 **Souriez vraiment**, même si vous n'avez pas le moral. Le sourire déclenche la production d'endorphines (les « hormones du bonheur »), un remontant tout à fait naturel ! Souriez à des inconnus dont vous croisez le regard : vous serez surpris par le nombre de fois où l'on vous renvoie votre sourire. En outre, un vrai sourire fait naître des sentiments positifs : bien que les êtres humains « fonctionnent » généralement de l'intérieur vers l'extérieur, parfois, une stratégie qui agit de l'extérieur vers l'intérieur se révèle très précieuse pour renforcer sa paix intérieure.

810 **Parlez à des inconnus** et pas seulement dans des soirées. Selon un proverbe irlandais, il n'y a pas d'étrangers, mais simplement des amis à se faire. À chaque nouvelle rencontre, trouvez une connaissance, une possession ou une croyance communes. Vous serez surpris des atomes crochus qui peuvent se créer.

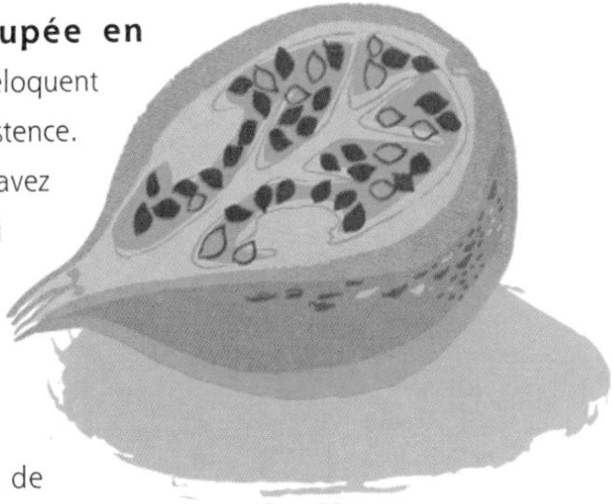

811 **Une grenade coupée en deux** est un symbole éloquent de la diversité de l'existence. Pensez-y lorsque vous avez affaire à des gens qui pensent ou agissent autrement que vous. Les graines de la grenade, toutes différentes, sont autant de façons d'aborder l'existence. Méditez sur cette profusion, en remerciant le ciel que tout le monde ne soit pas pareil à vous.

812 **Faites preuve d'ouverture d'esprit** face à de nouvelles personnes, à de nouveaux lieux ou à de nouvelles expériences. Tel un parachute, l'esprit fonctionne mieux lorsqu'il est ouvert. Votre façon de penser n'en est qu'une parmi une multitude. Les gens à l'esprit ouvert jouissent davantage de la vie et sont moins souvent déçus.

813 Réjouissez-vous des différences. Lorsque vous faites votre plan de table pour un dîner, au lieu de vous demander qui va s'entendre avec qui, placez les personnes les plus susceptibles de se surprendre les unes à côté des autres. Cela rappellera à vos convives que ce qu'ils apprécient le plus – sans se l'avouer, pourtant – c'est la diversité. Faites preuve d'audace !

814 Faites se connaître vos amis. Ne perdez pas de temps à vous imaginer qu'ils ne vont pas s'entendre : il est beaucoup plus amusant de les laisser se mélanger. Une réunion entre amis pourrait être le début d'une nouvelle amitié ! Chacun de vos amis constitue une source différente de joie. Lorsque vous amis se rencontrent, chacun d'entre eux en apprend un peu plus sur vous et sur votre cadre de référence.

815 Entourez-vous de bonne compagnie. Nous sommes indéniablement influencés par l'énergie et le calme (deux qualités opposées, pourtant !) que dégagent les personnes autour de nous. Les personnes paisibles, maîtresses d'elles-mêmes et indépendantes nous donnent la possibilité de placer notre propre existence dans une nouvelle perspective. Bien entendu, les personnes de bonne humeur et ayant le sens de l'humour ne manqueront pas de nous détendre aussi !

Soyez vous-même « de bonne compagnie » (816) et aidez vos amis à l'être, eux aussi, en les valorisant, ce qui leur donnera confiance en eux-mêmes. Montrez-leur que vous aimez voir briller leurs talents.

817 Prenez des photographies de vos amis et de la famille, sans trop vous soucier de la composition. Ce qui compte est de saisir une scène spontanée et cela ne peut être que le fruit du hasard. Ne vous laissez pas contrarier par une photographie moins bonne que vous ne l'auriez souhaité. Après tout, la photographie, c'est un peu une loterie : on ne gagne pas à tous les coups !

818 Observez un mariage et partagez cet esprit de fête. En participant à la célébration du bonheur des autres, nous apprenons à être moins centré sur nous-même.

819 Restez dormir chez des amis, après une invitation à dîner. Demandez-leur tout simplement s'ils peuvent vous héberger pour la nuit, sauf si cela doit les mettre dans une situation difficile, par exemple parce qu'ils doivent se lever très tôt le lendemain. Proposez de leur préparer le petit déjeuner. Jouissez de cette petite tranche de vie partagée, en ayant conscience de votre privilège.

820 Allez à un carnaval, avec des amis. Laissez-vous prendre par cette exubérance commune. Prévoyez aussi un en-cas et une bouteille d'eau, voire un pliant pour vous reposer les jambes !

Un spectacle en plein air (821), surtout de musique du monde, peut être extrêmement agréable à écouter. Choisissez à l'avance le groupe que vous voulez entendre. Si vous ne connaissez pas les groupes, fiez-vous à votre instinct : vous pourriez avoir de bonnes surprises ! Profitez-en pour parler à des inconnus.

Mêlez-vous à la foule et partagez ce que vous avez apporté à boire et à manger.

822 **Aidez à l'organisation des petites fêtes** dans votre quartier. C'est le meilleur moyen de rencontrer les gens qui y habitent ! Mettez aussi vos talents à contribution. Par exemple, si vous savez bien dessiner, vous pourriez faire l'affiche de la fête. Donnez généreusement de votre temps, de votre énergie et de votre imagination. Tout un chacun peut ainsi être un acteur de la vie de son quartier.

Créativité et jeu

823 Laissez la musique remplir votre cœur. L'oreille est simplement le point d'entrée de la musique dans notre être. Pour tirer pleinement parti des vertus apaisantes de la musique, ouvrez votre cœur et laissez agir la magie.

824 Passez-vous des vieux disques. Selon les spécialistes, les enregistrements sur les disques vinyle seraient plus riches et moins fatigants pour l'oreille que le son plus « propre » des disques compacts.

825 Perdez-vous dans une fugue, une composition musicale d'une grande richesse. Rejouez le morceau plusieurs fois : suivez chaque thème et écoutez les imitations se poursuivre et s'entrelacer. Jean-Sébastien Bach est, bien entendu, le maître incontesté de ce style. Écoutez son célèbre *Art de la Fugue*, ainsi que le « Sanctus » du *Requiem* de Verdi.

826 Écoutez du chant grégorien ou tout autre style de

musique chorale sacrée du Moyen Âge. La simplicité et le naturel du chant *a capella* donnent une impression de calme et d'espace intérieur sans précédent.

Vous pouvez aussi vous lancer dans l'écoute de la **musique liturgique byzantine (827)**, de la tradition orthodoxe grecque. Ce style, plus complexe que le chant grégorien, produit toutefois un effet similaire.

828 Écoutez un raga indien. Vous trouverez facilement des enregistrements au sitar ou au sarod dans la section musiques du monde de votre bibliothèque municipale. Ravi Shankar est d'ailleurs une valeur sûre dans ce domaine. Dans le raga, une longue et lente introduction (alap) est suivie d'une partie plus rythmée, accompagnée par des tablas (petits tambours). Cette musique produit un effet revigorant.

Essayez aussi, pour changer, de la **musique classique perse (829)** ou d'autres **musiques du monde (830)**.

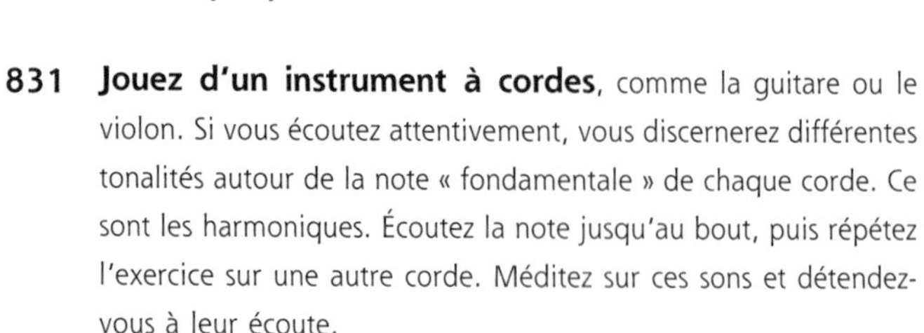

831 Jouez d'un instrument à cordes, comme la guitare ou le violon. Si vous écoutez attentivement, vous discernerez différentes tonalités autour de la note « fondamentale » de chaque corde. Ce sont les harmoniques. Écoutez la note jusqu'au bout, puis répétez l'exercice sur une autre corde. Méditez sur ces sons et détendez-vous à leur écoute.

832 Achetez deux baguettes de tambour et créez vos propres rythmes. Vous n'avez pas besoin d'un tambour, quelques objets suffiront : boîtes de conserve ou en carton, bocaux, livres, tout ce qui est susceptible de produire un son intéressant. Adaptez le rythme à votre état d'esprit : si vous vous sentez d'humeur calme, prenez pour rythme les battements de votre cœur. Si vous êtes tendu, frappez furieusement sur vos ustensiles.

833 **Devenez un musicien de cuisine**. Cette pièce offre en effet des possibilités inégalées d'improvisation musicale. Cuillères en bois et fouets en métal feront office de baguettes. L'évier, surtout s'il est en métal, sera un steel-drum parfait. Créez un xylophone avec des bouteilles remplies d'eau à des niveaux différents et jouez-en avec des cuillères en métal. Enfin, frottez votre râpe à légumes avec une fourchette pour imiter le washboard, si prisé aux débuts du jazz.

834 **Reprenez la partie que vous préférez**, dans un chant sacré, à la manière d'un mantra. Cette répétition vous apaisera et le message contenu dans les paroles pénétrera peu à peu dans votre cœur. Créez une atmosphère de recueillement en faisant brûler de l'encens et en allumant des bougies.

835 « ***Imagine*** ». Chantez-vous la célèbre chanson de John Lennon, tout en visualisant les utopies imaginées par le chanteur. Qu'est-ce que cela vous ferait de vivre dans l'harmonie ? Demandez-vous ce que vous pouvez faire pour que certains aspects de cette vision deviennent réalité, dans votre vie.

836 **Rejoignez une chorale**. Le chant est une activité revigorante et cathartique. En chantant avec d'autres, vous décuplez les bénéfices du chant. En rejoignant une chorale, vous améliorez vos capacités de travail en équipe, vos qualités d'écoute, vous vivez l'exaltation de vous produire en public et vous avez accès à un vaste répertoire de musique, du classique au gospel.

837 **Appliquez cette prise de conscience** « musicale » à la vie de tous les jours : écoutez attentivement et vous entendrez de la musique partout.

838 **Apprenez à apprécier l'art abstrait**. Il s'agit simplement de se sensibiliser aux formes, aux couleurs et aux textures au niveau intellectuel, émotionnel, mais aussi spirituel. En vous habituant ainsi à l'abstraction, vous rompez avec les catégories normatives, ce qui ne peut que bénéficier à votre propre créativité.

839 **Allez voir un ballet**. Les ballets romantiques, comme *Le Lac des cygnes* ou *La Belle au Bois dormant* (tous deux du compositeur russe Tchaïkovski) sont particulièrement propices à la détente. Absorbez-vous entièrement dans le spectacle, admirez la synchronisation des gestes sur la musique et émerveillez-vous devant le talent des danseurs étoile.

840 **Montez sur scène**. Enfants, nous aimions mettre en scène notre vie quotidienne. Pourquoi cette habitude si propice à la créativité se perd-elle lorsque l'on devient adulte ? Puisez dans le monde du théâtre. Savourez le fait d'être quelqu'un d'autre, le temps d'une soirée. Prenez des cours de théâtre ou rejoignez une troupe. Imaginez des spectacles pour enfants ou faites un spectacle de rue si vous avez une revendication particulière à exprimer...

841 **Lisez *Chant de moi-même*, de Walt Whitman**, une ode merveilleuse à la vie. « Chaque instant et quoi qu'il advienne me pénètre de joie », dit Walt Whitman et son humeur est contagieuse.

Écrivez votre propre « chant de vous-même » (842). Au lieu de se prendre directement comme sujet, Walt Whitman parlait de l'Amérique. Choisissez un lieu, un paysage, voire un pays auquel vous êtes attaché. Prenez-le comme point de départ de votre propre voyage de découverte poétique.

843 **Lisez un sonnet**. Comme le nombre d'or dans une peinture, les quatorze vers d'un sonnet résonnent d'une harmonie particulière. Jouissez de la beauté des rimes et des mots. Les sonnets de du Bellay, Ronsard ou Verlaine sont un bon point de départ. Pour une touche plus mystique, lancez-vous dans la lecture des *Sonnets à Orphée*, de Rilke.

844 **Visualisez le poème en le lisant**. Non seulement cela élargira votre imagination, mais vous permettra de pénétrer vraiment dans le monde de la poésie.

845 **Ouvrez la page d'un livre, au hasard** et lisez-en un passage. Appréciez la qualité de la prose, le choix du vocabulaire, les grandes idées ou la narration. Pensez aux pays frappés par l'illettrisme et/ou la censure et réjouissez-vous de votre privilège : pouvoir lire le livre de votre choix.

846 **Ayez toujours un petit livre sur vous**. Lisez par exemple des versions abrégées des grands classiques ou des livres de citations ou de blagues. Bientôt, vous ne pourrez plus vous passer de ces petites lectures, indispensables par exemple lorsque vous attendez le train ou un rendez-vous.

847 **Échangez un livre** avec un ami. Lorsque vous en parlerez, ensuite, vous aurez l'occasion d'aiguiser votre esprit, d'élargir votre imagination et de tester votre mémoire.

848 **Tenez un journal de vos lectures**. Notez-y les livres que vous lisez et ajoutez quelques commentaires : quels personnages vous ont plu, quelles parties vous ont frappé ?

Recopiez vos passages préférés (849) et quelques citations. Plus tard, vous prendrez plaisir à relire ces passages ou à en trouver un particulièrement adapté à votre humeur du moment.

850 **Écrivez à l'auteur** d'un livre que vous avez beaucoup aimé. Vous serez surpris, le plus souvent, d'avoir une réponse. Adressez votre lettre à l'éditeur, qui transmettra.

851 Prenez le temps de rire. Le rire stimule les chakras du plexus solaire et du sacrum. Le plexus solaire est associé à l'intimité et à la créativité, tandis que le sacrum, en nous reliant à l'énergie solaire, nous donne l'élan nécessaire à toutes nos actions.

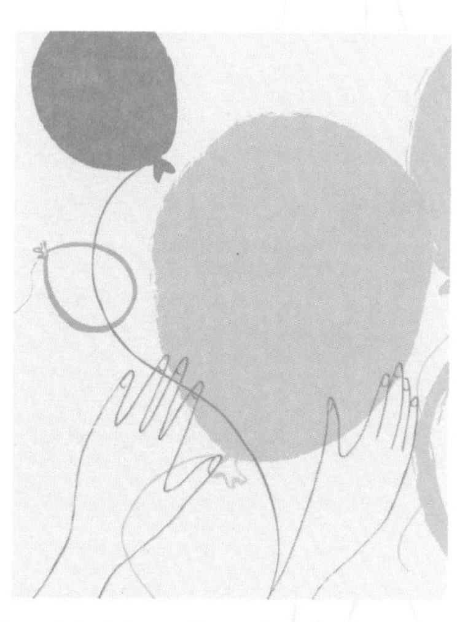

852 Faites une bataille de polochons. Ce jeu, pratiqué sans violence, est un bon moyen d'apaiser les tensions, à la fois par l'exercice physique et par le rire qu'il suscite.

Faites une bagarre de ballons de baudruche (853), une variante plus douce et moins risquée que la bataille de polochons. Laissez tomber vos inhibitions d'adulte, laissez-vous aller à vos bêtises d'enfant.

854 **Dansez** le twist. Le tango est peut-être plus subtil et la valse plus élégante, mais le twist n'a pas son pareil pour la détente. Mettez un vieux disque et trémoussez-vous comme un beau diable.

855 **Apprenez dix bonnes blagues**. Ayez-en plusieurs de prêtes pour différentes occasions, par exemple pour alléger la tension dans une soirée, pour faire rire des enfants qui s'ennuient ou, tout simplement, pour vous remonter vous-même le moral.

856 **Faites des chatouilles**. Le rire de la personne chatouillée est incroyablement contagieux. En outre, les chatouilles stimulent les récepteurs du plaisir. Vérifiez que votre « victime » en tire autant de plaisir que vous. Et préparez-vous à être chatouillé à votre tour !

857 **Tournez en rond**. Ce jeu, un grand classique de l'enfance, donne une sensation sans égale d'ivresse, de liberté et de détente. Trouvez un endroit dégagé, de préférence une pelouse. Étendez les bras et tournez rapidement sur vous-même. 
Lorsque vous avez mal au cœur, laissez-vous tomber jusqu'à ce que le sol s'arrête de tourner sous votre corps.

858 **Les balançoires et les manèges** nous permettent de nous abandonner brièvement aux sensations perdues de l'enfance. En outre, le balancement et le mouvement de rotation ont un effet apaisant sur le corps et l'esprit. Une **grande roue (859)** ou un **télésiège (860)** offrent des sensations similaires. Si l'on est plus haut perché (déconseillé aux personnes sujettes au vertige), les déplacements sont plus doux. Balancez vos jambes dans le vide. Jouissez de cette sensation d'être suspendu dans l'air.

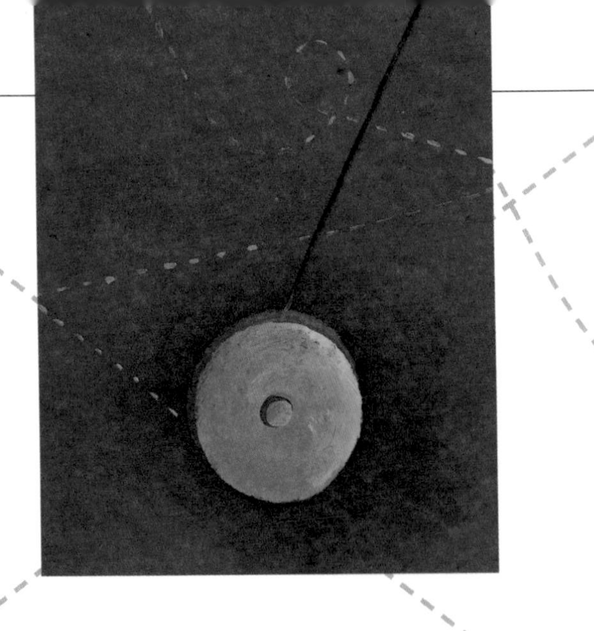

861 **Jouez au yo-yo**. Le mouvement rythmique du yo-yo vous calmera les nerfs. Avec un peu de pratique, vous pourrez faire quelques figures : c'est toujours drôle d'impressionner les autres par ses talents méconnus.

Sinon, pratiquez le **jonglerie (862)**. Commencez avec deux balles, pour maîtriser les gestes de base, puis passez à trois balles.

863 Câlinez une peluche, par exemple en regardant la télévision ou en écoutant un disque ou la radio. Cela fera inconsciemment ressortir votre instinct de protection vis-à-vis des autres et vous fera par conséquent bénéficier de la leur.

Choisissez une peluche qui reflète votre personnalité (864) : un lion pour le courage et la fougue, un nounours pour la tranquillité et la douceur, un animal imaginaire pour l'excentricité. En aimant cette peluche, vous aimerez ce qui est unique, en vous.

Improvisez un jouet pour un enfant que vous connaissez (865). Choisissez un personnage qui le fera rire. Votre effort sera largement récompensé par son plaisir à ce cadeau sur-mesure.

866 Faites des bulles de savon : la vaisselle n'en sera que plus rigolote. Fabriquez un cerceau avec du fil de fer et soufflez doucement dans le film de savon. Observez la bulle flotter dans l'air et le reflet de la fenêtre à sa surface.

867 Agitez une boule à neige et regardez les flocons envahir le paysage miniature. Lorsque votre vie vous semble confuse, imaginez que vous observez cette confusion de l'extérieur, comme vous regardez votre boule à neige, avec calme et concentration malgré tous les bouleversements.

868 **Perfectionnez votre façon de siffler**. Voilà un moyen simple et gratuit de faire de la musique. Observez comme vous pouvez changer la hauteur de la note en déplaçant votre langue à l'intérieur de la bouche. Entraînez-vous. Sifflez de jolies mélodies pour les autres : cela créera une ambiance d'insouciance et les distraira.

Entraînez-vous à **siffler pour exprimer votre admiration (869).** Le sifflement est un langage universel. Sifflez votre appréciation pour les œuvres d'art, les grands événements sportifs, les observations pertinentes, voire les choix les plus sages, dans l'existence.

870 **Créez un bain de sons**. Ce jeu se joue à cinq ou six personnes. L'une d'entre elles ferme les yeux. Les autres marchent lentement autour d'elle, tout en improvisant des sons. La cascade de sons ainsi produite déferle sur la personne au milieu du cercle. Chacun tient à tour de rôle la position d'« écoutant ».

871 **Partez à la chasse au vocabulaire**. Chaque fois que vous rencontrez un mot dont vous pensez que vous ne l'utiliseriez jamais, « attrapez »-le et constituez-vous une petite ménagerie. Attention, les mots de votre ménagerie ont besoin de beaucoup d'exercice : ils doivent donc être employés dès qu'une occasion se présente. En augmentant votre vocabulaire, vous gagnez en virtuosité d'expression.

Cherchez un mot (872), chaque jour, dans le dictionnaire d'une langue que vous ne connaissez pas. La construction ou la sonorité du mot sera agréable ou inattendue : jouissez de cette nouvelle perspective à une notion à laquelle vous vous référez si souvent sans vous en rendre compte.

873 **Replongez-vous dans un classique de la littérature pour enfants**, comme *Le Vent dans les saules*, de Kenneth Grahame, ou *Les Contes du chat perché*, de Marcel Aymé.

874 Fabriquez un avion en papier et observez-le filer à travers la pièce. Pour prolonger son vol, utilisez un autre type de papier ou modifiez la forme des ailes.

875 Jouez à un jeu de construction. C'est une activité amusante à pratiquer avec un enfant. Non seulement vous tirerez tous les deux du plaisir à construire quelque chose ensemble, mais le tri d'éléments de construction, par couleur, taille ou forme, est particulièrement relaxant.

876 Faites un puzzle : plus il aura de pièces et mieux cela sera. La concentration vous fera oublier vos soucis. Choisissez le sujet du puzzle en fonction de votre humeur. Les scènes de la campagne et les étendues d'eau et de ciel sont particulièrement relaxantes.

Aidez un enfant à faire un puzzle (877). Il s'agit d'une activité très calme et relaxante que vous pouvez pratiquer ensemble. Vous communiquerez alors entre égaux et vous êtes littéralement au même niveau (si vous faites le puzzle par terre).

878 **Crayonnez tout en écoutant de la musique**. Écoutez un album pendant une demi-heure, tout en dessinant les formes, les teintes et les émotions que la musique fait naître en vous.

879 **Dessinez de la main gauche** (ou de la main droite si vous êtes gaucher). Un moindre contrôle sur le crayon est parfois libérateur. L'utilisation d'une autre partie de notre cerveau peut aussi se révéler particulièrement propice à la créativité.

880 **Faites des associations d'idées** pour stimuler votre créativité. Notez pensées et images à mesure qu'elles se présentent à vous. Il s'agit d'un bon moyen d'entraîner son esprit avant de se lancer dans une activité créative, qu'il s'agisse de peinture ou de la rédaction d'un discours.

Si vous avez envie d'écrire des récits imaginaires, tentez cette variante : pliez le papier que vous avez utilisé pour les associations de pensées et **rangez-le dans un tiroir (881)**, sans le lire, jusqu'à la semaine suivante. Vous serez surpris par votre lecture et vous trouverez certainement des idées à développer dans ce que vous écrivez.

882 Faites-vous conteur. L'improvisation d'histoires pour les autres, adultes ou enfants, permet d'exercer son imagination et de tester ses talents littéraires. Amusez-vous avec des histoires délirantes et fabuleuses. Donnez des voix différentes à chacun des personnages.

Vous pouvez aussi jouer au **jeu des histoires (883)**, idéales dans les soirées ou pour les longs voyages en voiture. Les joueurs improvisent à tour de rôle des parties d'une histoire. Quelqu'un commence le récit, pendant cinq minutes par exemple, puis une autre personne prend le relais. L'histoire peut intégrer des éléments empruntés à des contes de fées ou être une création originale.

Sinon, les joueurs peuvent penser à **plusieurs versions de la même histoire (884)**, en prenant le point de vue des différents protagonistes.

885 Écrivez un *limerick*, épigramme burlesque de cinq vers, le premier rimant avec le deuxième et le cinquième. Le troisième vers rime avec le quatrième. Devinette ou poème absurde, laissez libre cours à votre imagination. Exemple : « Tout à la fois sceptique et grand penseur chrétien,/Celui-ci fut mystique et mathématicien./Puissance trompeuse, dans les espaces il nous perdit,/Et dans la grâce enfin il nous ensevelit./Telle fut l'adroite ruse de ce génie chrétien. » Il s'agit de Blaise Pascal.

886 Rédigez un haïku pour exprimer une intuition sur la nature. Ce poème japonais se compose de trois vers libres. Certains poètes se limitent, en outre, à cinq pieds dans le premier vers, sept dans le deuxième et cinq dans le troisième, mais cela n'a rien d'obligatoire. L'objectif est de saisir l'expérience du monde naturel, comme le montre l'exemple suivant, d'une écolière de Rouen : « Je déposerai/Sur un pétale humide/Un bouton de rose ».

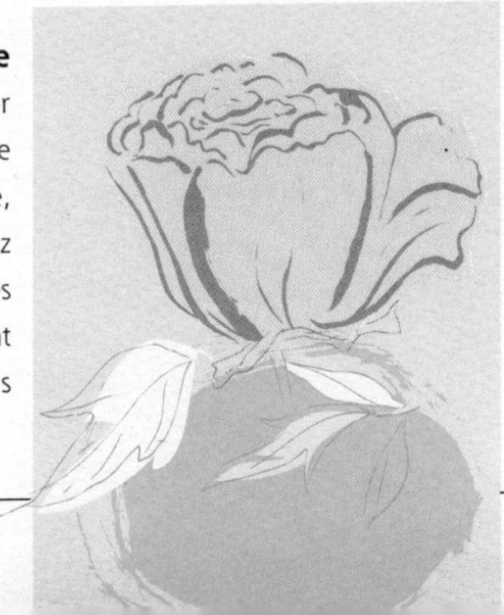

887 Rédigez un poème en vers libres, pour explorer plus avant une émotion difficile à vivre, par exemple. Traduisez vos émotions en images littéraires. En cherchant le vocabulaire le plus adapté à votre poésie, vous prendrez du recul et maîtriserez mieux vos sentiments.

Autres sujets de poèmes : **paysages évocateurs (888), sentiments agréables (889), portraits d'amis ou de la famille (890), relations intéressantes (891), pensées sur l'avenir (892)** et **souvenirs du passé (893).**

894 **Composez une brève biographie** de quelqu'un que vous admirez, qu'il soit mort ou vivant. Documentez-vous le plus possible sur sa vie et sur son parcours. Vous pourriez tirer des enseignements utiles de son expérience.

895 **Initiez-vous à l'art de l'origami**, le pliage japonais, pour vous libérer l'esprit. Laissez votre créativité affluer jusqu'à vos doigts. Vos productions pourront aller d'un simple chapeau à des oiseaux ou d'autres animaux.

Prolongez le plaisir de l'origami en fabriquant une **arche d'animaux (896), des bateaux (897)** que vous ferez voguer dans les flaques ou encore en accrochant **des oiseaux (898)** ou des **papillons (899)** à un mobile.

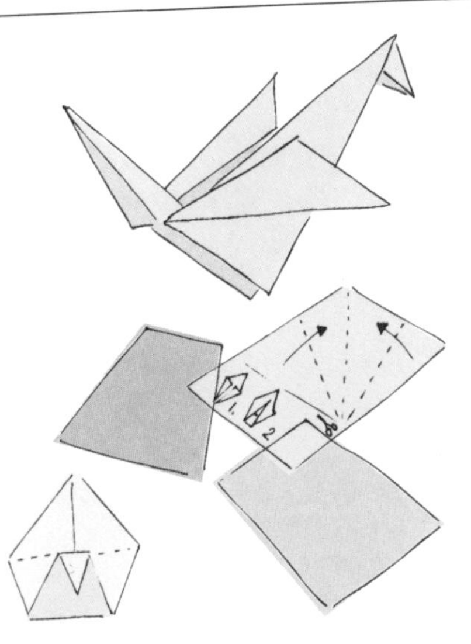

900 Dessinez une nature morte. Soyez attentif aux objets : cela vous aidera à vous détacher du flux ininterrompu de vos pensées.

901 Peignez une rose. Jouissez du plaisir sensuel que cela procure : reposez-vous les yeux sur la beauté délicate des pétales ; respirez le parfum délicieux de la fleur. Pratiquez ce type de dessin jusqu'à ce que vous deveniez un as en la matière, capable de créer des tableaux d'une grande beauté, qui seront des cadeaux parfaits pour vos amis.

902 **Faites une sculpture en argile**. Choisissez un sujet qui frappe votre imagination, animal ou silhouette. Ne vous inquiétez pas du réalisme de votre œuvre. Profitez simplement du plaisir tactile lié à la manipulation de l'argile fraîche entre vos doigts.

903 **Fabriquez un bol de glace pour un dîner spécial**. Remplissez un bol ou un saladier d'eau. Placez-en un plus petit à l'intérieur, avec des pétales de fleurs entre les deux. Mettez le tout au congélateur. Démoulez ensuite la glace et disposez-la au centre de votre table. En fondant, cette composition sera du plus bel effet.

904 **Faites une compilation** des morceaux de musique les plus relaxants de votre collection de disques. Dessinez ou peignez une œuvre d'art abstraite ou une autre figure, pour la pochette.

905 **Jouez aux « cadavres exquis »**, dans la plus pure tradition dadaïste. Ce jeu, qui se joue à plusieurs, consiste à écrire des mots sur des morceaux de papier, puis à les assembler dans des compositions poétiques absurdes.

906 **Apprenez à tricoter**. Une fois que vous aurez maîtrisé les bases, vous tricoterez à « grande vitesse ». Le cliquetis des aiguilles a un effet reposant. Variez les laines et les motifs. Quelle satisfaction de pouvoir porter ce que l'on a tricoté soi-même !

907 **Faites-vous un logo personnel**. Mettez-y des symboles représentant les qualités que vous percevez en vous et les valeurs que vous défendez. Marquez de ce logo tous vos travaux – créatifs ou autres –, afin d'en affirmer la paternité.

908 **Tenez un cahier-souvenir de vos vacances**. Collez-y tout ce qui vous rappellera votre séjour : photographies, cartes postales, mais aussi tickets d'excursions et feuilles d'arbres provenant des plus beaux sites que vous avez visités. Demandez aussi aux nouveaux amis rencontrés lors du séjour de signer votre cahier.

Vous pouvez faire de même pour les **réunions de famille (909)** et les **expériences marquantes (910)** de votre vie. Vous feuilletterez ensuite ces souvenirs avec plaisir.

911 **Achetez un guide des promenades** à faire dans votre ville ou votre région et faites-en quelques unes. Considérez chacune de

ces promenades comme de mini-vacances. Munissez-vous de chaussures de marche et emportez un pique-nique dans un petit sac à dos.

912 **Emmenez un chien en promenade** (celui d'un ami ou d'un voisin, le cas échéant). La compagnie silencieuse mais fidèle d'un chien fait parfois des miracles pour le moral.

Jetez des bâtons (913) au chien, pour lui faire prendre de l'exercice. Jouissez de son enthousiasme à courir derrière le bâton, puis à vous le rapporter, ventre à terre.

914 **Jetez des bâtons sous un pont**. Dans ce jeu, chacun laisse tomber un bâton ou une brindille en amont du pont. Il faut ensuite se précipiter de l'autre côté pour voir quel bâton arrive le premier. Ce jeu fait vivre en nous l'enfant que nous réduisons le plus souvent au silence dans notre vie d'adulte.

915 **Promenez-vous pieds nus sur une plage**. Le contact du sable allié au bruit des vagues est incroyablement relaxant.

Vous pouvez aussi marcher **pieds nus dans l'herbe couverte de rosée (916)**, au petit matin. Prenez conscience de la solidité de la terre, sous vos, pieds et de l'herbe qui balaie vos chevilles.

917 **Écoutez le chant des oiseaux**. Reconnaître le chant des oiseaux est un bon moyen de renforcer son lien à la nature. Certains disques du commerce proposent des enregistrements d'oiseaux. Alors, dans un parc, voire en chemin vers le travail, ouvrez grand vos oreilles !

918 Associez plusieurs activités « préférées ». Faites faire votre promenade préférée à votre meilleur ami. Lisez votre livre préféré sous « votre » arbre. Racontez votre blague préférée au voisin que vous appréciez le plus.

919 Construisez un château de sable, à la plage ou dans un bac à sable. Mettez-y autant de soin qu'à une œuvre pour la postérité. Vous y découvrirez un enseignement sur le caractère éphémère de l'art.

920 Faites un pique-nique à l'ancienne. Prévoyez une table et des chaises pliantes, une vraie nappe, ainsi que des assiettes et des couverts.

Mettez la table à l'extérieur (921), afin de créer une

ambiance formelle décalée. Vous pourriez même poser un bouquet de fleurs sur votre table !

922 **Grimpez à un arbre**. Osez ! Observez le changement de perspective, à mesure que vous montez, et le gros plan sur les branches et les feuilles. À la cime de l'arbre, jetez un coup d'œil sur votre environnement, tout en jouissant de cette victoire sur vous-même.

923 **Laissez-vous rouler le long d'une pente herbeuse**. Couchez-vous perpendiculairement à la pente et laissez-vous aller. En prenant de la vitesse, détendez-vous. En vous confiant ainsi aux lois de la gravité, vous accomplissez en quelque sorte un acte de foi vis-à-vis du cosmos, tout en oblitérant votre pensée. Jouissez des sensations.

924 Fabriquez un collier de pâquerettes. Cueillez-les de façon à ce que la tige soit la plus longue possible. Fendez la tige à mi-longueur et glissez la tige d'une autre pâquerette dans la fente. Continuez de la sorte jusqu'à ce que vous ayez un petit collier, à offrir à quelqu'un que vous aimez – ou à vous-même !

925 Dessinez votre jardin idéal. Votre plan doit être attrayant et coloré. Au moyen du plan, promenez-vous dans votre « jardin extraordinaire » lorsque vous avez besoin de vous ressourcer.

Commencez à réaliser votre projet en apportant des **modifications réelles (mais mineures) (926)** à votre vrai jardin.

927 **Passez du temps dans un jardin**. Domptée, la nature a donné naissance à de magnifiques compositions, dans le monde entier : jardins zen au Japon ou champs de tulipes en Hollande. Si vous en avez la possibilité, visitez ces endroits. Autrement, des jardins plus modestes présentent le même intérêt et incitent au calme.

Certains **jardins privés (928)** sont ouverts au public quelques journées par an, en été. Pourquoi ne pas utiliser le **jardin d'un ami (929)** ? Proposez des services en échange. Enfin, chaque quartier dispose d'espaces verts. Profitez-en !

930 **Perdez-vous dans un labyrinthe**. Les plus beaux labyrinthes végétaux se trouvent dans les parcs des anciennes demeures. Une astuce pour ne pas vous perdre : gardez tout le temps la main sur l'une des « parois » de haie. Vous arriverez au cœur du labyrinthe, puis vous en ressortirez.

À défaut, **dessinez votre propre labyrinthe (931)**. Faites-le visiter à votre famille et à vos amis !

932 **Soufflez sur des fleurs de pissenlit**. Regardez les « parachutes » flotter dans la brise. Imaginez que ce sont vos tracas qui s'éloignent ainsi, poussés par la brise.

933 **Faites une partie de pétanque**. Ce jeu de boules qui tire son nom de *pes tanques*, pieds tanqués (joints) en provençal, est associé au Midi de la France et à sa douceur de vivre. Requérant plus d'adresse que de force physique, c'est une activité propice à la détente, à pratiquer entre amis !

934 **Soulevez les pierres** lorsque vous vous promenez à la campagne. Choisissez une grosse pierre à moitié enterrée. Observez tout ce qui grouille sous la surface : larves, insectes, petits animaux, chacun vaque à ses occupations. Méditez sur la place de l'être humain dans la nature, ou sur la place de notre planète, perdue parmi tant d'autres.

935 **Collectionnez les glands de chêne**, en automne. Ayez-en toujours un ou deux dans votre poche et frottez-les de temps en temps avec votre mouchoir. Ils vous rappellent le miracle de l'existence : comment une graine aussi petite peut-elle donner naissance à un arbre qui atteint parfois des dimensions gigantesques ?

936 **Installez une ruche dans votre jardin**. Non seulement ce lien avec la nature donnera plus de sens à votre vie, mais le miel est un produit particulièrement délicieux.

937 **Montez à cheval**. Profitez de la satisfaction du contact avec l'animal. Laissez-vous porter par le rythme des différentes allures : le pas, qui berce, le trot, qui réveille et l'exaltant galop.

Si vous avez peur des chevaux, pourquoi ne pas tenter l'expérience avec un **cheval de manège (938)** ?

939 **Travaillez dans une ferme** pour vous familiariser avec le rythme de la nature. Pourquoi ne pas proposer votre aide, une journée ou plus, par exemple au moment du vêlage ou des moissons ?

940 **Allez à la pêche**. C'est une activité tranquille et incitant à la méditation dans laquelle la prise elle-même n'a qu'une importance mineure par rapport au calme et au silence.

941 **Faites la danse de la pluie**. Lorsque le temps devient très sec, sortez et accomplissez le rituel suivant : tapez des pieds sur le sol pour imiter le bruit de la pluie, agitez des plaques de métal pour reproduire le son du tonnerre et tordez votre corps comme un arbre sous une rafale de vent.

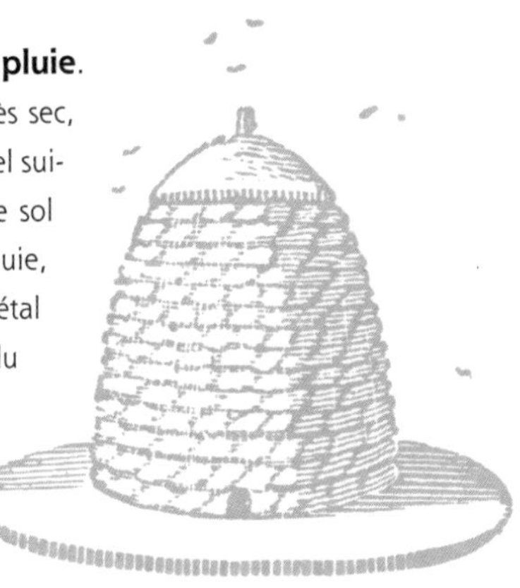

942 **Faites une bataille de boules de neige**. L'excitation et les rires offrent un défouloir bien agréable en hiver, lorsque l'on passe beaucoup de temps enfermé à la maison.

Vous éprouverez la même sensation en faisant de la **luge (943)**.

944 **Construisez un bonhomme de neige** ou une **sculpture de neige (945)**, des objets en harmonie complète avec leur environnement. À mesure que la température s'élève, observez votre création fondre par phases successives et fascinantes.

946 **Faites un ange de neige**. Couchez-vous sur le dos dans la neige, bras écartés. Baissez, puis remontez plusieurs fois vos bras, pour « tracer » les ailes de l'ange.

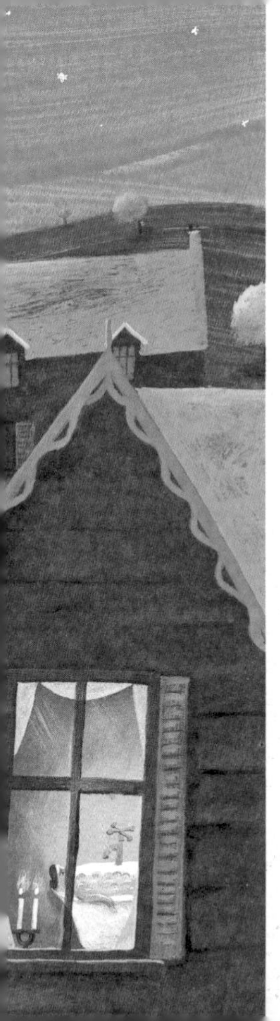

Le soir

947 **Libérez vos muscles.** Pour obtenir un effet relaxant instantané après une journée stressante de travail, contractez, puis relâchez tous les groupes musculaires. Commencez par la tête et les épaules, puis descendez jusqu'aux orteils. Terminez l'exercice en respirant dix fois profondément.

948 **Soulevez, puis abaissez les épaules**. Il s'agit d'une variante éclair de l'exercice précédent. Soulevez les épaules aussi haut que possible, puis abaissez-les le plus lentement possible. Cela devrait vous prendre une minute entière. Vos épaules descendront sans doute plus bas que vous ne le pensiez. À mesure qu'elles descendent, faites des respirations toujours plus profondes. Vous retrouverez ainsi peu à peu votre calme.

949 **Soyez d'humeur « crépusculaire**. Où que vous soyez, le crépuscule est un moment magnifique de la journée : les couleurs s'estompent et se fondent dans le gris. Promenez-vous en jouissant du changement de lumière.

950 **Ne perdez pas une seule nuit étoilée**. Le soir, s'il fait doux et que le ciel est dégagé, loin de la ville, étendez-vous, dehors, sur un tapis et observez le ciel. Au bout d'une minute environ, vos yeux se seront adaptés et vous verrez apparaître des milliers d'étoiles. Vous êtes un membre privilégié d'un vaste cosmos. Laissez vous envahir par sa pureté et sa paix.

Achetez un atlas du ciel (951) et apprenez à reconnaître les constellations. L'immense étendue de certaines d'entre elles, comme Orion, le Lion ou le Taureau, est vraiment impressionnante. Il y a quelque chose d'étrangement rassurant et d'intime à savoir les reconnaître. Si vous trouvez un certain ordre dans l'univers, nul doute que vous surmonterez le désordre terrestre et l'anxiété qu'il suscite !

De même, tenez-vous au courant du **passage de comètes (952)** dans notre atmosphère. Autrefois considérées comme le présage de grandes catastrophes, avec leurs magnifiques queues lumineuses, elles continuent d'inspirer la crainte.

Cherchez aussi des **étoiles filantes (953)** et des météorites. Ces débris de comètes brillent en s'enflammant au contact de l'atmosphère terrestre. La période idéale pour l'observation de météores est vers le 17 et 18 novembre, lorsque la Terre est traversée par la pluie d'étoiles filantes des Léonides, des particules laissées par la comète Tempel-Tuttle. Les Léonides se voient facilement dans l'hémisphère Nord, mais elles sont aussi visibles, juste au-dessus de l'horizon, dans l'hémisphère Sud.

Les éclipses de la Lune (954) et du Soleil (955) sont particulièrement spectaculaires. Bien que celles du Soleil ne puissent être observées à l'œil nu, l'étrangeté de cette plongée provisoire dans l'obscurité offre un frisson garanti. Sans compter que ces mouvements à l'échelle cosmique relativisent nos petits problèmes quotidiens.

956 Jouez avec votre ombre, un soir de pleine lune. Votre ombre « lunaire » a quelque chose de particulier. Promenez-la ! Et jouissez de cette lumière particulière du paysage sous la lune.

957 Regardez une comédie. Lorsque l'on se sent dépassé par les événements, il est parfois nécessaire de s'offrir une échappatoire, sous la forme d'une comédie, au cinéma, à la télévision ou au théâtre. Choisissez une œuvre qui corresponde à votre sens de l'humour ce soir-là : sarcastique, noir, grotesque, etc.

Regardez *Casablanca* (958), en vidéo ou DVD. Cette ode à l'amour et à la loyauté montre que ces valeurs éternelles peuvent résister à tous les stress auxquels on peut être exposé.

Sinon, regardez ou re-regardez ***La Vie est belle*** **(959)**, le film de Frank Capra avec James Stewart dans le rôle d'un banquier en faillite qui, lorsqu'il décide à mettre fin à ses jours, découvre, par l'entremise d'un ange, combien sa vie a été belle. Cela l'empêchera-t-il de se suicider ? Découvrez-le en regardant le film !

Vous pouvez aussi visionner un **film de Charlot (960)**. Mais souvenez-vous : rien ne vous oblige, vous, à courir ainsi dans tous les sens !

961 Prenez un bain de pieds à la menthe, pour soulager vos jambes si vous êtes resté debout toute la journée. Remplissez une bassine d'eau tiède, dans laquelle vous versez quatre ou cinq gouttes d'huile essentielle de menthe (voir n° 466). Asseyez-vous, les pieds dans l'eau, pendant cinq minutes. Laissez-vous envahir par la chaleur et les propriétés stimulantes de la menthe. Après avoir séché vos pieds, coupez-vous les ongles et repoussez les cuticules. Adoucissez ensuite la plante de vos pieds à l'aide d'une pierre ponce, puis enduisez vos pieds d'une crème contenant du beurre de cacao ou une huile naturelle, d'amande ou de jojoba, par exemple.

962 Prenez un bain d'algues. Rapportez quelques algues (fucus) d'un séjour à la mer. Enveloppez-les dans un torchon en mousse-

line et suspendez-les au robinet. En coulant directement dessus, l'eau brûlante permettra aux nutriments des algues de se diffuser dans le bain. Oubliez tous vos soucis en vous plongeant au moins un quart d'heure dans l'eau et la bonne odeur de l'océan. Après le bain, enveloppez-vous dans un peignoir chaud et buvez beaucoup d'eau. Le bain d'algues réhydrate et adoucit la peau.

Pour une **concentration plus importante de sels minéraux (963)**, apportez à ébullition environ 450 grammes d'algues dans une grande casserole, puis laissez-les infuser pendant une demi-heure et versez ensuite l'infusion dans l'eau du bain.

964 **Versez des huiles essentielles** dans votre bain du soir. Cinq à six gouttes suffisent. La camomille facilite l'endormissement, tandis que la lavande est un bon relaxant musculaire.

Faites brûler des huiles essentielles (965) dans un diffuseur, dans votre chambre à coucher, afin de vous détendre lorsque vous vous préparez à aller vous coucher. La lavande, la marjolaine et

l'ylang-ylang sont conseillés (pour plus de détails sur les huiles essentielles, voir n° 466).

966 Lavez-vous les cheveux, en massant bien votre cuir chevelu pour effacer toutes les tensions de la journée.

967 Enfilez une chemise de nuit et des chaussons, en début de soirée. Cela vous aidera à vous détendre et voudra dire que vous pourrez vous coucher dès que vous aurez sommeil.

968 Écoutez, sur un CD, les bruits relaxants de la nature. Le choix est immense : bruits de la ferme, chants des baleines, son des vagues sur la plage.

Faites votre propre enregistrement de bruits de la nature (969), dans un endroit que vous aimez.

REGARDS EN ARRIÈRE, REGARDS VERS L'AVENIR

970 **Notez vos expériences les plus agréables**, sur une journée, une semaine, une année, voire dans votre vie jusqu'à présent. Qu'est-ce qui vous a fait le plus plaisir ? Demandez-vous comment faire pour apporter encore plus de bonheur à votre vie.

Notez vos pires expériences (971), aussi. Quels en sont les points communs ? Comment empêcher ces situations de se reproduire à l'avenir ?

972 **Dressez une liste des « choses faites »**. Cela changera de votre liste de choses « à faire », qui suscite anxiété et sentiment d'être débordé. En notant chaque tâche accomplie, vous verrez combien vous avez été productif et vous n'en serez que plus fier de vous-même !

973 **Terminez votre journée comme vous refermeriez un dossier**. Certaines frustrations ou inquiétudes continuent-elles de hanter les recoins de votre esprit ? Chassez-les promptement. Acceptez que ce qui s'est passé aujourd'hui appartient désormais au passé et ne peut être changé. La seule chose que vous puissiez

faire est de tirer un enseignement de vos expériences. Il est temps de passer une bonne nuit de sommeil, une expérience précieuse en soi.

974 **Fixez-vous trois objectifs (réalistes !) pour le lendemain**. Le premier pour votre travail (ranger votre bureau, par exemple), le second pour la maison (discuter d'un problème avec votre conjoint) et le troisième pour vous (écrire à un ami pour le remercier). En limitant ainsi vos objectifs, vous pourrez aussi les mener à bien, ce qui ne peut être que bénéfique pour votre moral.

Notez vos objectifs par écrit (975), puis décidez de ne plus y penser jusqu'au lendemain. Sachant, désormais que trois des choses à faire demain le seront, vous pouvez vous détendre.

AU LIT !

976 **Apprenez à reconnaître votre cycle biologique et respectez-le**. Pour connaître le nombre d'heures de sommeil dont vous avez besoin, couchez-vous lorsque vous êtes fatigué, mais pas exténué. Lisez jusqu'à ce que vous ayez sommeil. Réveillez-vous naturellement. Procédez de cette façon pendant trois à quatre nuits successives pour connaître vos heures de sommeil optimales.

977 **Réchauffez les draps** au sèche-linge s'il fait très froid. Vous n'aurez que plus de plaisir à vous pelotonner sous votre couette et vous trouverez plus rapidement le sommeil.

Sinon, un quart d'heure avant de vous coucher, **posez une bouillotte (978)** sous la couette, au niveau de vos pieds.

979 Buvez une infusion de camomille avant d'aller vous coucher. La camomille a des vertus soporifiques.

980 Buvez un lait au miel, avec un soupçon de cannelle. Le lait contient du tryptophane, un produit favorisant l'endormissement.

981 Respirez une bonne goulée d'air frais de l'extérieur avant d'aller vous coucher. Si vous avez une cour ou un jardin, restez-y quelques minutes, si le temps le permet. Imprégnez-vous des sons, des odeurs et des perspectives de la nuit. C'est un bon moyen de vous détacher de vos soucis diurnes.

982 Rangez votre chambre avant de vous coucher. C'est un moyen symbolique de marquer la fin de votre journée d'activité. Vous vous endormirez en sachant que tout est « dans l'ordre », dans votre environnement immédiat.

983 Jouez de la musique douce, dans votre chambre, en vous déshabillant. Cela créera une association avec l'idée qu'il faut aller se coucher, surtout si vous passez la même musique chaque soir.

984 Choisissez une lecture adaptée, le soir. Certains sujets risquent d'avoir l'effet contraire à celui recherché ! Choisissez de la poésie ou des œuvres de fiction qui vous font réfléchir et induisent le sommeil.

985 Ne prenez jamais du travail au lit ! Aussi tentante que puisse être la lecture d'un rapport au lit, une telle activité risque d'abolir les limites entre le travail et le repos. Vous aurez alors plus de mal à vous déconnecter de vos soucis professionnels et donc à trouver le sommeil.

986 **Faites la paix avec le monde** avant de vous endormir, par une simple prière de pardon, pour vous-même et ceux qui ont perturbé l'équilibre de votre journée.

987 **Endormez-vous avec le sourire**. Avant de vous endormir, pensez à une blague ou lisez-en une. Le cas échéant, racontez-la à votre conjoint. Le sommeil est plus réparateur lorsqu'on le commence un sourire aux lèvres.

988 **Accrochez un « capteur de rêves » près de votre oreiller**. Cette petite amulette des Indiens d'Amérique du Nord favorise les rêves paisibles et chasse les cauchemars. Elle se compose d'un petit cerceau de bois, décoré de plumes et de perles, et tressé de fibres à l'intérieur.

Fabriquez votre propre capteur de rêves (989) à partir de matériaux naturels. Vous pouvez fabriquer le cerceau traditionnel ou bien laisser libre cours à votre imagination.

990 S'il fait beau, dormez dehors, sur un futon, par exemple. Posez votre matelas sur une couverture de survie, par exemple, sur l'herbe, ou sur un sommier en bois. Avant de vous assoupir, prêtez attention aux sons et regardez le ciel.

991 Dormez avec un seul oreiller ferme, qui soutient la nuque. Ajoutez-en d'autres pour lire.

992 Visualisez un disque aux couleurs de l'arc-en-ciel, au niveau de votre cœur. Cette image mentale calmera vos pensées et vous aidera à vous endormir. Faites tourner cette roue jusqu'à ce qu'elle devienne blanche. Gardez à l'esprit cette image en vous laissant aller au sommeil.

993 Faites venir un sommeil réparateur au moyen d'images apaisantes. Certaines personnes parviennent à faire des rêves agréables en ayant des pensées positives, par exemple en pensant à un ami très proche, à un paysage ou à une œuvre d'art, pendant quelques minutes, avant de s'endormir. Choisissez un sujet qui évoque le calme. Méditez dessus avant de vous endormir, mais aussi lorsque **vous vous réveillez après un cauchemar (994)** afin d'éviter de replonger dans le même mauvais rêve.

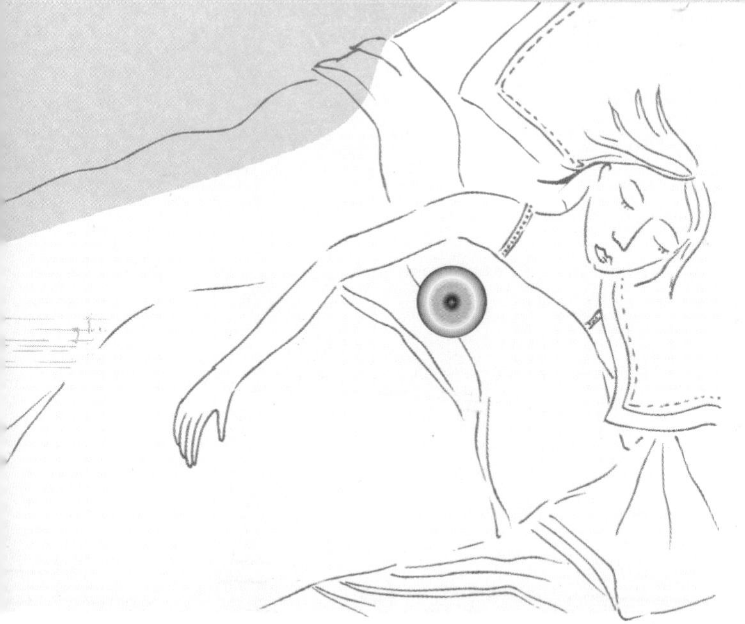

995 Retrouvez-vous, en rêve, avec un ami. Avant de vous endormir, imaginez que vous proposez à un ami de vous rencontrer à un endroit et à un moment donnés, pendant la nuit. Visualisez cet ami et le lieu de rencontre en vous endormant. Votre ami et vous-même n'aurez peut-être aucun souvenir de cette rencontre, le lendemain matin, mais cela ne signifie pas pour autant qu'elle n'a pas eu lieu !

996 Fête sur un yacht. Si le bruit de la fête, chez votre voisin, vous empêche de dormir, imaginez que vous avez été invité à une fête, sur un yacht, dans les Caraïbes. Vous êtes rentré chez vous avant les autre invités et vous voilà couché dans un grand lit confortable, dans une cabine pour vous seul. Vous vous sentez en sécurité, vous êtes confortablement installé, dans un endroit privilégié. Le murmure des voix au-dessus de vos têtes vous berce, tout comme le mouvement des vagues. Une autre solution, en cas de fête chez les voisins, consiste **à vous mettre à leur place (997)**. Imaginez qu'ils viennent se plaindre des ondes de colère que vous leur transmettez et qui leur gâchent la fête. Vous acceptez d'arrêter. Pour cela, abandonnez-vous au sommeil.

998 Faites couler de l'eau froide sur vos jambes pendant quelques minutes, si vous n'arrivez pas à vous endormir lorsqu'il fait très chaud. Les pieds frais, vous devriez retrouver plus facilement le sommeil. Si vous vous tournez et retournez dans votre lit sans trouver le sommeil, allumez la lumière et **prenez un livre (999)** jusqu'à ce que le sommeil vous envahisse à nouveau. Cela vous évitera d'associer coucher et insomnie et rendrait l'endormissement encore plus difficile.

1000 Retournez votre matelas une fois par mois. Cela empêchera la création d'un creux à l'endroit où vous reposez et vous garantira un maintien ferme.

Investissez dans un nouveau matelas (1001) tous les dix ans : c'est à peu près la durée de vie de cet élément d'ameublement.

INDEX

P

REMERCIEMENTS

L'éditeur souhaite remercie les illustratrices suivantes, qui l'ont autorisé à reproduire leurs œuvres. **Debbie Lush** : pp. 10-11, 29, 37, 40-41, 47, 53, 64, 69, 73, 78, 79, 84-85, 97, 98, 108-109, 110, 115, 122, 158-159, 176, 177, 180, 182, 184, 196, 199, 200-201, 224, 238, 239, 241, 242-243, 245, 248, 263, 266-267, 288, 310-311, 314, 326, 327, 336-337, 340, 343, 350-351, 353, 360, 370 ; **Emma Harding** : pp. 8, 9, 35, 62, 70, 87, 92, 95, 130, 140, 144, 147, 148, 162, 203, 232, 234, 244, 247, 257, 261, 268, 276, 300, 328, 348, 352, 354, 358, 362 ; **Trina Dalziel** : pp. 2, 13, 15, 19, 29, 25, 43, 44, 45, 49, 51, 54, 57, 61, 83, 90, 94, 100, 111, 112, 114, 120, 124-125, 126, 128, 133, 134, 135, 136, 143, 149, 151, 155, 157, 166-167, 169, 173, 175, 178, 183, 186, 189, 190, 193, 206, 208, 212, 214, 215, 221, 222, 225, 226-227, 228-229, 231, 232, 236, 237, 246, 250, 253, 265, 270, 274, 275, 278, 279, 292, 293, 294-295, 296, 298, 305, 318, 319, 320, 321, 331, 333, 338, 341, 346, 359, 363, 365, 367, 369.

À PROPOS DE L'AUTEUR

Mike George est un spécialiste reconnu et un enseignant passionnant sur la prise de conscience spirituelle, le self-management, la visualisation créative, la pensée positive et la maîtrise du stress. Il est aussi rédacteur en chef de la revue *Heart and Soul* et maître de conférences à la Brahma Kumaris World Spiritual University. Parmi ses publications, citons le best-seller mondial *Learn to Relax*.

Pour plus d'informations sur les idées développées dans ce livre, vous pouvez contacter l'auteur par courrier électronique à mike@relax7.com ou directement sur le site www.relax7.com